W9-BUI-227

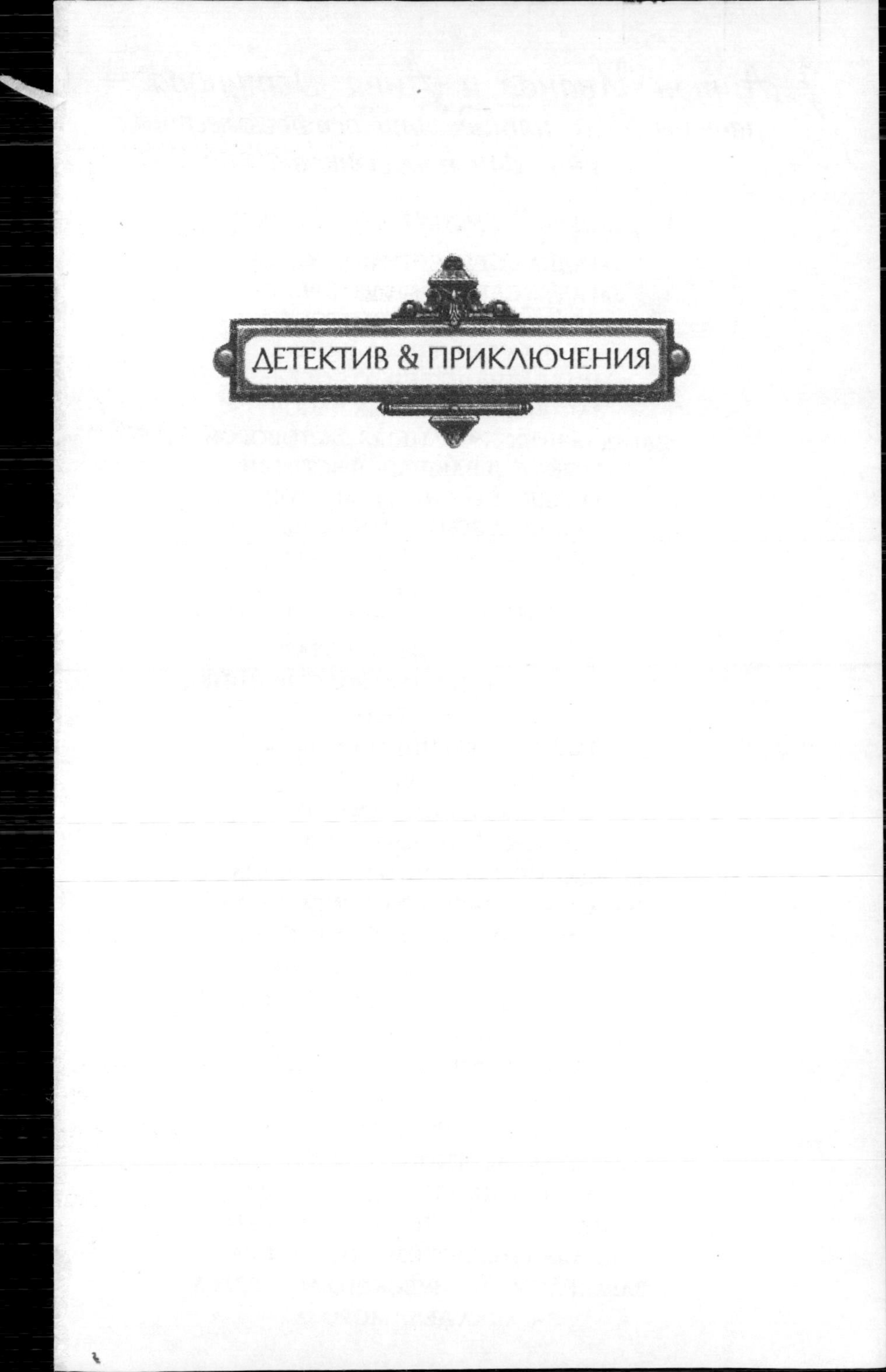
ДЕТЕКТИВ & ПРИКЛЮЧЕНИЯ

Антон Иванов и Анна Устинова — авторы более пятидесяти остросюжетных книг для подростков:

Сериал «Команда отчаянных»:

ЗАГАДКА БОРДОВОГО ПОРТФЕЛЯ
ЗАГАДКА САПФИРОВОГО КРЕСТА
ЗАГАДКА НЕВИДИМОГО ГОСТЯ
ЗАГАДКА ВЕЧЕРНЕГО ЗВОНКА
ЗАГАДКА ПРОПАВШЕГО СОСЕДА
ЗАГАДКА СТАРИННЫХ ЧАСОВ
ЗАГАДКА ПОДСЛУШАННЫХ РАЗГОВОРОВ
ЗАГАДКА СОРВАВШЕЙСЯ ВСТРЕЧИ
ЗАГАДКА КРАСНЫХ ГРАНАТОВ
ЗАГАДКА ЗОЛОТОЙ ЧАЛМЫ
ЗАГАДКА БРОШЕННОЙ ЛОДКИ

Сериал «Компания с Большой Спасской»:

ЗАГАДКА ЧЕРНОГО ПРИЗРАКА
ЗАГАДКА АМЕРИКАНСКОГО РОДСТВЕННИКА
ЗАГАДКА КЛЕТЧАТОГО
ЗАГАДКА СТАРИННОЙ КУКЛЫ
ЗАГАДКА НОЧНОГО СТУКА
ЗАГАДКА САЛОНА «МАГИЯ»
ЗАГАДКА ЗАКРЫТОГО ЛЮКА
ЗАГАДКА СЕРЕБРЯНОГО МЕДАЛЬОНА
ЗАГАДКА ДОМАШНЕГО ПРИВИДЕНИЯ
ЗАГАДКА СЛУЧАЙНОГО ПОПУТЧИКА
ЗАГАДКА БРОНЗОВОГО ЛЬВА
ЗАГАДКА ЛОВКИХ МОШЕННИКОВ
ЗАГАДКА НАЗОЙЛИВЫХ ЗВОНКОВ
ЗАГАДКА ПОЧТОВОГО ГОЛУБЯ
ЗАГАДКА ИСЧЕЗНУВШЕГО ДРУГА
ЗАГАДКА ЧЕРНОЙ ВДОВЫ
ЗАГАДКА ГАЗЕТНОГО ОБЪЯВЛЕНИЯ
ЗАГАДКА ШКОЛЬНОГО ПОДВАЛА
ЗАГАДКА ТЕАТРАЛЬНОЙ ПРЕМЬЕРЫ
ЗАГАДКА НЕУЛОВИМОГО ДОКТОРА
ЗАГАДКА ТУРИСТИЧЕСКОГО АГЕНТСТВА
ЗАГАДКА ДЕДА МОРОЗА

Антон Иванов
Анна Устинова

Загадка случайного попутчика

Москва 2013
эксмо

УДК 82-93
ББК 84(2Рос-Рус)6-4
И 17

Оформление серии *С. Киселевой*

Иванов А. Д.

И 17 Загадка случайного попутчика : повесть / Антон Иванов, Анна Устинова. — М. : Эксмо, 2013. — 224 с. — (Детектив & Приключения).

ISBN 978-5-699-63671-6

Как поступить, если новый сосед не хочет тебя узнавать, хотя вы с ним уже знакомы? А если к тому же ты знаешь, что он умер? Или на самом деле дядя Вася, попутчик Темыча на пути из Питера в Москву, остался в живых? Мальчик делится сомнениями с друзьями, и компания с Большой Спасской начинает новое расследование. Юные сыщики не подозревают, насколько опасным оно окажется в этот раз...

УДК 82-93
ББК 84(2Рос-Рус)6-4

ISBN 978-5-699-63671-6

Глава I

ПОЕЗДКА С ПОСЛЕДСТВИЯМИ

Утром Олег проснулся от ужасающего грохота. И почти сразу же послышались крики отца.

— В этой проклятой квартире вообще теперь жить нельзя! — разорялся Борис Олегович. — Стоит куда-нибудь сунуться, как на тебя выпадает всякая дрянь!

— Боренька! Не волнуйся! — уже бежала на помощь мужу мама Олега Нина Ивановна. — Иначе у тебя снова подскочит давление!

— Какое давление! — заорал громче прежнего отец. — Я чуть головы не лишился!

— Все равно нужно сдерживаться, — кротким голосом увещевала его жена.

— Чтоб я еще когда-нибудь на эти кретинские антресоли полез! — продолжал гневную тираду Борис Олегович.

Услышав про антресоли, Олег, дотоле не торопившийся на место происшествия, пулей вылетел в коридор. Картина ему предстала ужасная. Антресоли были распахнуты настежь. Стремянка валялась на полу. Далее в живописном беспорядке расположилось несколько банок тушенки, три алюминиевые кружки и еще кое-какие походные мелочи вроде вилок, ножей, расчесок и полотенец. Посреди этого великолепия возвышался глава семейства Беляевых. Рубашка его была щедро посыпана пшенной крупой. Голову, словно рыцарский шлем, увенчивал закопченный котелок.

— Боренька! Ты только, пожалуйста, не волнуйся! — принялась заботливо стряхивать с его рубашки крупу Нина Ивановна.

— Я спрашиваю! — грянул Борис Олегович. — Откуда это все на наших антресолях?

— Это... — замялся Олег. — Это ребята оставили.

— Какие еще ребята? — возопил Борис Олегович.

— Друзья, — прошептал Олег.

— Зачем? — последовал новый вопрос отца.

— Для дела, — тщетно пытался придумать какую-нибудь уважительную причину Олег.

— Для какого еще дела? — взревел Беляев-старший.

— Они... Ну... в поход пошли, — выдавил из себя сын.

— По нашей квартире? — топнул ногой отец. — Ты меня что, совсем за идиота считаешь?

— Боренька! — заламывала в отчаянии руки Нина Ивановна. — У тебя такая тяжелая неделя была. Если ты сейчас же не успокоишься, все снова закончится гипертоническим кризом. Врачи ведь предупреждали...

— Плевать я хотел на врачей! — решительно произнес муж. — Отвечай, — грозно надвинулся он на сына, — зачем твои идиоты-друзья забили наши антресоли всем этим хламом?

— Для похода, — стойко придерживался первоначальной версии Олег.

В это время Беляев-старший небрежным жестом скинул с головы котелок. Тот со звоном грохнулся об пол, что почему-то весьма благотворно подействовало на настроение отца.

— Ну, хорошо, — куда тише прежнего произнес он. — Давай-ка, Олежка, поговорим спокойно. Зачем тут все эти вещи?

— Вы разговаривайте, — очень обрадовалась Нина Ивановна, что приступ ярости у мужа прошел. — А я пока приготовлю завтрак.

— Правильно, — одобрил Борис Олегович. — Ну, — вновь повернулся он к сыну. — Говори, что за друзья у тебя все это оставили.

— Тема, Женька и Пашков, — честно признался Олег.

— Они вообще-то в себе или как? — полюбопытствовал Борис Олегович.

— В себе, — подтвердил Олег.

— Тогда зачем они это сюда притащили? У них что, своих квартир нет?

— Наша к школе ближе, — нашелся Олег. — А им в поход надо было сразу после занятий.

— Какие занятия? — вновь раскричался отец. — Сегодня выходной!

— Так они же вчера...

Олег осекся, но было поздно.

— Как вчера? — посмотрел ему прямо в глаза отец. — Ты хочешь сказать, что они уже ушли?

— Да, папа, — вяло проговорил Олег. — Вернее, они пойдут на следующей неделе, но в такой же день, как вчера.

— Боря! Олежка! Идите завтракать! — раздался из кухни спасительный для Олега призыв Нины Ивановны.

— Нет, подожди, Нина, — запротестовал Борис Олегович. — Тут, кажется, дело серьезное.

— Что такое? — мигом вбежала в гостиную Нина Ивановна.

— По-моему, наш оболтус ко второй половине девятого класса сошел с ума, — мрачно изрек супруг.

— Да ну тебя, Боря, — отмахнулась жена. — Я думала, действительно что-то серьезное.

— А я, между прочим, не шучу, — продолжал Беляев-старший. — В то время, как мы с тобой из кожи вон лезем, чтобы обеспечить нашему сыну безбедное будущее, этот оболтус вместе со своими друзьями теряет последний разум!

— Боренька, не волнуйся. Тебе же вредно, — в который раз попыталась успокоить его жена. — Хочешь, валокордина тебе накапаю?

— Не желаю валокордина! — воспротивился Беляев-старший.

Олег украдкой вздохнул. Вообще-то у него с отцом были замечательные отношения. Однако, когда тот заводился, приходилось терпеливо пережидать, пока он выплеснет накопившееся раздражение.

— Мы, видишь ли, Нина, с тобой целыми днями трудимся в своей фирме! — громовыми раскатами разносился по всей квартире голос отца. — Я гроблю последние силы на бесконечные переговоры с иностранными партнерами! Наконец, у меня выдается два выходных дня за неделю! Только два дня!

— Боренька! Ты уже весь стал красный! — с большим волнением посмотрела на мужа Нина Ивановна.

— Ничего! Скоро посинею! — угрожающе изрек папа Олега. — И вы меня похороните! Потому что человек имеет право на отдых. И вот, когда я сегодня хотел для разрядки и успокоения нервов разобрать бумаги на антресолях, на меня вываливается всякая пакость! И мало того, что мои антресоли, где у меня хранится архив фирмы, заваливают съестными припасами совершенно посторонние дети, мой оболтус-сын говорит, что его друзья приготовили это для какого-то идиотского дня, который такой же, как был вчера, но только через неделю!

— Боренька, что ты говоришь? — всплеснула руками мама Олега.

— Это не я говорю! Это он говорит! — простер руку к сыну разгневанный родитель.

— Не приставай к ребенку, — немедленно вступилась мать за Олега. — У него возраст трудный. И в школе такая нагрузка.

— У меня тоже нагрузка, — заявил Борис Олегович. — И я требую, чтобы мне объяснили по-человечески, когда эти идиоты пойдут в свой поход и почему я должен держать их продукты среди своих деловых бумаг?

— Ты не должен, — ответил Олег. — Просто они попросили.

— Они попросили! — взревел отец. — Они попросили, а я должен теперь в этом пшене целый день как курица ковыряться? — вытряхнул он на пол солидную порцию пшенной крупы, попавшей ему за шиворот. — А если тебя в следующий раз вообще попросят собственного отца убить, ты тоже согласишься? Звони им немедленно! Пусть забирают свое барахло!

— Не могу, — развел руками Олег.

— Почему не можешь? — с изумлением поглядел на него отец.

— Боря, давай я тебе все-таки валокординчика дам, — вкрадчивым голосом предложила Нина Ивановна.

— Отстань, — отмахнулся Борис Олегович. — Пусть он мне сначала ответит, почему его друзья не могут забрать свои вещи?

— Их нету, — ответил Олег. Если бы скандал разразился чуть позже, мальчик наверняка бы уже придумал, что объяснить отцу. Но спросонья голова работала плохо.

— Их, значит, нету, а вещи их тут!

Отец пнул ногой валявшийся рядом котелок, и тот со звоном покатился по коридору.

— Может, конечно, кому-нибудь этого и покажется мало, — сардонически захохотал Беляев-старший, — но мне, лично, более чем достаточно! Особенно в субботу утром, когда я решил спокойно заняться разборкой бумаг на антресолях!

— Да я не про вещи, — внес некоторую ясность сын. — Их самих нету.

— Где же они? — последовал новый вопрос отца.

— В походе, — ответил Олег.

— Нина! Я не могу! — схватился за голову Беляев-старший. — В каком походе? — повернулся он к Олегу. — Ты же мне только что сам сказал, что эти три чертовых идиота собрались в поход в точно такой же день, как вчера, только через неделю.

— Значит, в следующую пятницу, — подсказала Нина Ивановна.

— Именно! — воскликнул Борис Олегович. — У меня от общения с нашим сыном скоро вообще пропадет дар речи! Отвечай, Олег, — нахмурился отец. — Почему они раньше времени ушли в поход, а вещи свои оставили?

— Ну-у... — Олег нервно потеребил дужку очков. — Они вчера в другой поход ушли.

— Лучше пойдемте завтракать, — позвала Нина Ивановна. — На кухне все стынет.

— Тогда быстро за стол, — неожиданно успокоился Борис Олегович. — Какое мне в конце концов дело до трех оболтусов, которые все время ходят в походы, — уже вполне мирным тоном добавил он. — Только будь добр, — поглядел он на сына, — убери все их барахло к себе в комнату. Взял чужие вещи, вот и живи, как на складе.

— Уберу, папа! — пылко пообещал Олег. «Слава богу, остыл», — с большим облегчением добавил он про себя.

— Вот и хорошо, — в свою очередь обрадовалась мама. — Пойдемте скорее пить кофе с рогаликами. Я их подогрела в духовке.

— И аппетит что-то разыгрался, — стряхнув с плеч остатки пшенной крупы, бодро направился в кухню Борис Олегович.

«Вроде бы пронесло», — совсем успокоился Олег.

Однако с выводами он явно поспешил. Беляев-старший уже направлялся на кухню, когда с антресолей вывалилась еще одна банка тушенки. Она с таким грохотом шмякнулась об пол, что Борис Олегович вздрогнул и обернулся.

— Нет! Я так жить положительно не могу! — взвыл он. — Мало вы мне потрепали нервов своими расследованиями, так теперь еще банки всякие на голову сыплются!

Борис Олегович яростно толкнул кухонную дверь, при этом лишь чудом не нанеся увечий Нине Ивановне, которая несла в руках горячий кофейник.

— Боря! Нельзя ли поосторожней? — укоряюще поглядела она на мужа.

— Ах, значит, я еще и виноват? — крикнул тот. — Не эти дурни со своими расследованиями и тушенкой, а именно я, который...

У Олега внутри все сжалось. Если отец сейчас начнет говорить о расследованиях, то это надолго. Дело в том, что за последние полтора года Олегу и его друзьям-одноклассникам Теме, Женьке, Кате и Тане удалось самостоятельно раскрыть целых девять настоящих преступлений[1]. Родителей детективная деятельность детей, разумеется, совершенно не радовала. После каждого удачно проведенного дела в пяти семействах вспыхивали грандиозные скандалы. А больше всех бушевал Борис Олегович. И вот, похоже, он вновь заподозрил неладное.

— А ну, отвечай! — не мигая, смотрел он на сына. — Вы что, с этой тушенкой и кашей опять в какую-нибудь уголовщину вляпались?

---

[1] Подробно об этом читайте в книгах А. Иванова и А. Устиновой «Тайна черного призрака», «Загадка американского родственника», «Загадка Клетчатого», «Загадка старинной куклы», «Загадка ночного стука», «Загадка салона «Магия», «Загадка закрытого люка», «Загадка серебряного медальона», «Загадка домашнего привидения», вышедших в серии «Черный котенок». (Прим. ред.)

— Нет! — поторопился заверить его Олег.

— Врешь! — закричал отец. — Я теперь стреляный воробей. Это у вас наверняка вещественные доказательства.

— Какие вещественные доказательства? — искренне удивился сын.

— Вам виднее! — совсем разошелся Беляев-старший. — Вот я сейчас позвоню этому вашему милиционеру...

— Папа, не трогай Владимира Ивановича! — взмолился Олег. — Он совершенно тут ни при чем!

Майор милиции Владимир Иванович Василенко был фронтовым другом классного руководителя пятерых друзей, Андрея Станиславовича. Отделение милиции, где работал майор, находилось на Сретенке. Юные детективы часто обращались к Владимиру Ивановичу за помощью. Впрочем, майор им однажды сказал, что еще неизвестно, кто кому больше помогает. Благодаря Компании с Большой Спасской, как часто называли эту пятерку, Владимиру Ивановичу удалось выйти на след очень опасных преступников.

— Вот сейчас я ему позвоню! — схватив трубку радиотелефона, повторил Борис Олегович.

— Но это же, правда, обыкновенный поход! Туристический! — потянул за трубку с другой стороны Олег.

— Ты уверен? — вновь начал остывать отец.

— Да, папа!

— Тогда марш на кухню, — последовал приказ Беляева-старшего. — А в наказание поможешь мне разбирать антресоли.

Олег тяжело вздохнул. Вообще-то они собирались сегодня отправиться с Таней в Сокольники.

Но ничего не поделаешь. За завтраком Олег мысленно проклинал Лешку Пашкова. Стоит его послушаться, и тут же влипнешь в какие-нибудь неприятности.

Пашков учился вместе с ними в девятом «В». Парнем он вообще-то был неплохим. Беда заключалась в том, что Лешкину голову распирало от хоть и заманчивых, но очень опасных замыслов. Перед их осуществлением Пашков производил четкие расчеты, благодаря которым все должно было пройти без сучка без задоринки. Однако жизнь вносила свои неумолимые коррективы. В результате от Лешкиных действий страдали ученики и учителя родной две тысячи первой школы, старшее поколение семьи Пашковых, а порой и ни в чем не повинные обитатели района Сухаревской площади. Особенно опасным становился Лешка, когда объединял усилия со своим младшим братом-погодкой Сашком. Широко известен был случай, когда, отрабатывая тактику правильного поведения в период землетрясений и прочих стихийных бедствий, неутомимые братья Пашковы сломали руку собственной бабушке. Правда, Лешка потом уверял, что бабушка сама виновата. Нечего было соваться к ним в комнату, когда Сашок перепрыгивал с одного шкафа на другой. Однако сама бабушка и родители двух экспериментаторов такой точки зрения не разделяли.

Справедливости ради надо заметить, что у Компании с Большой Спасской отношения с Пашковым складывались до сих пор относительно гладко. Он даже принял участие в двух последних расследованиях, и, к немалому удивлению юных детективов, ничего страшного не произошло. Теперь, лениво жуя рогалик и сокрушаясь по поводу загубленной субботы, которую придется провести за разборкой антресолей, Олег подумал, что они все же напрасно стали так доверять Лешке.

А началось все в понедельник. На первой же перемене к Компании с Большой Спасской подлетел Пашков. Глаза у него горели. И вид был очень загадочный.

— Вы мне нужны, — многозначительно произнес он.

— Зачем? — тут же подскочил к нему вплотную Женька. — Говори.

— Не сейчас, — уклончиво отвечал Пашков. — Надо после уроков встретиться. Тогда и поговорим спокойно.

— Тогда сразу же, как занятия кончатся, идем ко мне, — предложил Олег.

— Заметано, — с важностью отозвался Лешка. — А сейчас мне некогда. Во-первых, нужно еще покурить до начала урока. А во-вторых, за пять минут все равно ничего не расскажешь.

— Отравляйся, отравляйся, — проворчал маленький щуплый Темыч, который всегда очень заботился о своем здоровье.

Но Лешка его не слышал. Он уже убежал в туалет.

Друзья остались в полном недоумении.

— Может, Лешка какое-нибудь преступление откопал? — с надеждою произнес Женька.

— Если Пашков преступление откопал, то я бы держался от него подальше, — посмотрел на друзей исподлобья Темыч. — Чует мое сердце: это добром не кончится.

— Отстань со своим сердцем! — пренебрежительно отмахнулась Катя.

Темыч обиженно засопел. Он еще с младшей группы детского сада был тайно влюблен в Катю. Та же над ним постоянно подтрунивала. Да еще, будучи натурой ветренной, то и дело увлекалась другими мальчиками. Темыч избрал тактику длительной осады и выжидания. Но дела у него на личном фронте пока продвигались плохо. Больше всего Темыча огорчал его рост. Он был ниже всех в своем классе, а лицом больше походил на девочку. Правда, папа его, Никита Владимирович, тоже до шестнадцати лет был почти таким же, как сын. Зато потом всего за одно лето вырос до метра восьмидесяти и стал пользоваться большим успехом у противоположного пола. Поэтому Темыч верил в лучшее будущее, что не лишало его, однако, проблем в настоящем.

— Если бы я вас постоянно не одергивал, — назидательно произнес он, — мы бы уже сто раз влипли в какую-нибудь историю.

— Учитель наш несравненный, — фыркнула Катя.

— Перестаньте! — вмешался Олег. Ему еще в детском саду приходилось разнимать эту «сладкую парочку». В те далекие уже годы Темыч и Катя чуть что начинали драться. — И вообще, — продолжал Олег. — Чего понапрасну спорить. Может быть, Лешка совсем не о преступлении нам расскажет.

— Ну, да! — немедленно закричал Женька. — А глаза у него почему так горели?

— Мало ли почему, — пожала плечами светловолосая Таня.

— Они у Лешки всегда блестят, — подхватил Темыч. — Небось снова какую-нибудь из своих дурацких шуточек выдумал.

Тут раздался звонок. Друзья поспешили в класс. Позже они еще много раз пытались выяснить у Пашкова, в чем дело, но тот упорно молчал. Или, напуская на себя таинственный вид, повторял: «Потерпите. Вот придем к Олегу, тогда...» И, не договорив, он вновь загадочно замолкал.

Наконец, занятия кончились. Выдержав вечный бой в тесноте раздевалки, друзья натянули куртки и выбежали на улицу. Март выдался очень теплым. Снег стаял еще в конце февраля. В Портняжном переулке было совершенно сухо.

— Пошли быстренько Вульфа выгуляем, — первым направился к своему дому Олег.

Башня из розового кирпича стояла прямо перед школой. Поэтому у пятерых друзей давно уже вошло в привычку забегать после уроков на часок-другой к Олегу. Затем, если не возникало каких-нибудь важных дел, Темыч, Женька, Катя и Таня отправлялись к себе. Их широкий блочный дом находился в конце Большой Спасской улицы. Катя и Женька жили во втором подъезде, а Темыч и Таня — в четвертом.

Войдя в распахнутые металлические ворота, вся компания остановилась перед домом Олега.

— Подождите, — распорядился тот. — Сейчас поднимусь за Вульфом.

Остальные кивнули. Вульф — это такса. Вся Компания с Большой Спасской его очень любит. Кстати, именно Вульф в свое время навел их на след самого первого детективного дела. Позже именно благодаря умному псу друзьям удалось найти Олега, которого похитили преступники.

Выгуляв Вульфа, друзья, наконец, добрались до квартиры Олега. Там они немедленно заняли привычные места в просторной гостиной. Пес тут же устроился на диванной подушке рядом с Таней и задремал. После Олега он больше всех на свете любил эту девочку.

— Ну! — навис над Пашковым Женька. — Теперь рассказывай!

— Есть потрясающий план, — растянулся рот до ушей у Пашкова.

— Расследование? — заорал ему прямо в ухо Женька. — Говори быстро!

— Ну, в общем-то это не совсем расследование, — принялся объяснять Пашков. — Вернее, совсем не расследование. Но замысел четкий. И необычный.

— Знаем мы твои четкие замыслы, — посмотрел на Лешку исподлобья маленький щуплый Темыч.

— В этот раз все действительно четко, — заверил Пашков. — А главное, выходные проведем с пользой.

— Не томи! — требовал Женька, который всегда хотел проводить выходные с пользой.

Остальные тоже заинтересовались. Лешке внимание пятерых друзей очень польстило, и он с важностью проговорил:

— Дело, значит, такое. Тут один Мичман едет болеть...

— Нам-то что! — перебил его Женька.

— Погоди, — всегда интересовался проблемами как своего, так и чужого здоровья Темыч. — Чем заболел твой мичман? И куда он едет лечиться?

— Так, — трагически закатила глаза Катя. — Сейчас Темочка на примере болезни какого-то мичмана прочтет нам очередную лекцию о здоровом образе жизни.

— Вы что, психи? — уставился на них Пашков. — При чем тут болезнь?

— Ты же сам говорил, что мичман едет болеть, — невозмутимо возразил Темыч. — Его что, с корабля по состоянию здоровья списали на сушу?

— Какой корабль! — покачал головой Пашков. — Он вообще на корабле не служил.

— Какой же он тогда мичман? — тихо спросила Таня.

— Никакой, — отвечал Пашков. — Он к морю отношения не имеет. Просто сосед мой. На год старше. Колька Матросов. В шестьсот десятой учится. Кличка Мичман.

— Чего же ты сразу не объяснил? — возмутился Женька.

— А ты бы перебивал меня больше, — хохотнул Лешка.

— А чем ваш Колька Матросов болен? — продолжал свое Темыч.

— О господи! — воскликнула Катя. — Ну и зануда.

— Отстань, — обиженно засопел Темыч.

— Ничем он не болен, — поторопился объяснить Лешка, пока его снова не перебили. — Мичман едет вместе с другими фанатами болеть за «Динамо»! В Питер! Там в субботу будет очень ответственный матч. «Динамо» — «Спартак».

— Подумаешь, — Темыч никогда не испытывал страсти к футболу, да и вообще к спорту.

Олег, Таня и Катя тоже встретили сообщение о Мичмане и фанатах вполне равнодушно. Даже Женька, который в отличие от четверых друзей относился к спорту с большим уважением и даже был одно время влюблен в баскетболистку из юношеской сборной команды России, никак не мог взять в толк, какая может быть польза от Лешкиного сообщения. Если бы матч проходил в Москве, пожалуй, составил бы им компанию. Но в Питере... Женька выжидающе поглядел на Пашкова.

— Так ничего и не поняли? — спросил тот.

— Нет, — честно признался Олег.

— Едем все! — закричал Пашков. — Только, конечно, без девочек.

— Значит, уже не все, — усмехнулась Катя.

— Не мешай ему! — уже в полном раже прыгал Женька вокруг Пашкова.

— Компания собирается сугубо мужская, — с важностью продолжал тот.

— Да мы как-то особо и не претендуем, — отвечала Таня за себя и за Катю.

— И правильно! — одобрил такую позицию девочек Пашков. — Меньше будет проблем.

— А я претендую! — выкрикнул Женька.

— А как вы до Питера добираться будете? — хмуро взглянул Темыч на Пашкова. — Это же кучу денег надо потратить.

— Ни фига не надо! — закричал Лешка.

— Ясненько, — произнесла нараспев Катя. — Пашков предлагает в Питер пешком идти. Так сказать, эксперимент на выживание.

— Я не пойду, — воспротивился Темыч. — Столько дней пешком, — прикинул он мысленно расстояние от Москвы до Питера. — Что я вам, Лев Толстой какой-нибудь?

— Почему Лев Толстой? — спросили остальные.

— Ну, он же на старости лет попер пехом из Ясной Поляны куда глаза глядят, — отозвался Темыч. — Вот и помер. А мне, лично, жизнь еще дорога.

— Темику страшно. Темик к мамочке хочет, — с издевкой изрекла Катя.

— Мне вообще никогда ничего не страшно! — немедленно выпятил впалую грудь Тема.

— Значит, Темочка, не боишься, как Лев Толстой? — прыснула Катя.

Темыч надулся. Повторять пеший подвиг престарелого корифея русской литературы ему совсем не хотелось. И вообще, он в свое время понял, что толстовство — совсем не его стихия. Но Катины издевки смешали все его карты. Если он откажется от совершенно, по его мнению, идиотского плана Пашкова, Катька еще долго будет над ним подтрунивать. Словом, альтернативы у Темыча не оставалось.

— Ладно, Лешка. Я согласен, — без особого воодушевления проговорил он. — Когда выходим?

— Не выходим, а выезжаем, — уточнил Пашков.

— На чем? — удивился Темыч.

— На поезде. В пятницу после уроков, — горделиво заулыбался Пашков.

— На каком еще поезде? — ужаснулся экономный Тема. — Это же кучу денег надо потратить.

— «Это же целый капитал!» — насмешливо процитировала Катя рекламу стирального порошка.

— Забудьте о капиталах! — решительно рубанул воздух ладонью Лешка. — Говорю же! Есть план. А у Пашкова все четко. Вчера вместе с Мичманом целых полдня разрабатывали.

— Ну, если у этого Мичмана получается так же четко, как у тебя... — схватилась за голову Таня.

Остальных тоже охватила тревога.

— Мичман — это голова! — оскорбленно воскликнул Пашков. — Он всех футболистов «Динамо» лично знает!

— Сильный аргумент в пользу плана, — покачала головой Катя.

— А я о чем! — не почувствовал иронии Пашков. — Мичман на что уж стреляный воробей, но как план мой увидел, тут же сказал...

— Чего он сказал? — не дослушав, вклинился Женька.

— Сказал, что ему до меня далеко! — растянулся рот до ушей у Пашкова.

— Бедный наивный Мичман! — с трагикомическим видом произнесла Катя. — Чует мое сердце, — покосилась она на Темыча. — Не доедете вы до Питера.

— А ты не каркай, — буркнул Темыч.

Собственно, он и сам не был уверен в успехе поездки. И проклинал себя на чем свет стоит, что так легко согласился составить Лешке компанию. «Смейся, смейся, — угрюмо взирая на Катю, размышлял он. — Вот не вернемся оттуда, тогда запоешь по-другому».

Стоило Темычу об этом подумать, как он живо представил себе собственные похороны, центральной фигурой на которых была, конечно же, безутешная Катя с неимоверно огромным букетом роз.

«Кучу денег ухлопала, но поздно! — позлорадствовал почти мертвый Темыч. — Умела бы ценить при жизни, я, может, остался бы жив».

Последнюю фразу он случайно произнес вслух. Друзья зашлись от хохота.

— Кажется, Тема у нас готовится к трагической гибели, — не преминула отметить Катя.

— Какая гибель! — возмутился Пашков. — Наоборот, очень жизненное путешествие получится. Поболеем за «Динамо», Питер посмотрим, и назад.

— Вот именно! — подхватил Женька. — Не обращай, Лешка, на него внимания, — указал он пальцем на Темыча. — Ему вечно мерещится самое худшее.

Темыч угрюмо молчал. Олег с задумчивым видом протер носовым платком очки и, вновь водрузив их на нос, обратился к Лешке:

— Интересно, каким это образом вы собираетесь съездить в Питер и обратно, если ты говоришь, что денег не нужно.

— Деньги вообще-то нужны, — отозвался Лешка.

— Начинается, — мрачно произнес Темыч. — Типичный рекламный трюк. Сперва вроде все на халяву. А потом выкладывай денежки.

— Ты меня недослушал, — с укором изрек Пашков. — Деньги нужны, но только на еду. Не можем же мы два дня голодать.

— Жрать обязательно нужно! — немедленно выкрикнул вечно голодный Женька. — Кстати, Олег, может, чего похаваем, а? — добавил он вкрадчивым голосом.

— Этому бы только есть, — сказал Тема. — Ты на большой перемене, по-моему, полбуфета скупил.

— Подумаешь, каких-то шесть булочек с соком! — отмахнулся Женька.

— Потерпишь, — строго поглядел на него Олег. — Вот с Лешкой разберемся, тогда и перекусим.

Женька покорно уселся в кресло.

— Ну, что ты там напридумал? — вновь обратился Олег к Пашкову.

— Сейчас увидишь, — пошел в переднюю Лешка.

Вернулся он со сложенной во много раз плотной бумагой.

— Что это? — полюбопытствовали друзья.

— Освобождайте журнальный столик, — распорядился Лешка. — Сейчас все сами поймете.

— Освобождаем! — Женька хотел разом смахнуть на пол все, что находилось на столике.

— Не вздумай! — успел помешать ему Олег. — Мало ты мне всего тут переколотил.

За долгие годы дружбы Женька и впрямь успел лишить Беляевых-старших множества дорогих их сердцам предметов, типа цветочных ваз, чашек, глиняных статуэток, которые заботливо расставила по гостиной Нина Ивановна, и даже любимого торшера Бориса Олеговича. Доставалось, конечно, за все разбитые вещи Олегу.

— Сейчас тут нет ничего бьющегося, — невозмутимо ответил Женька. — А книгам ничего не сделается, если их на пол смахнуть.

Впрочем, девочки уже аккуратно переложили журналы и книги на стенку. Лешка развернул лист. Он занял весь журнальный столик.

— Ого! — изумленно вгляделись друзья во множество стрелок, извилистых линий и каких-то значков.

— Фирма веников не вяжет, — легонько стукнул себя кулаком по груди Лешка.

— Похоже на генеральный план какого-нибудь сражения, — тихо проговорила Таня.

— Смотри, не накликай, — поежился Темыч.

— Это лучше сражения, — с любовью поглядывал Лешка на результаты собственного труда. — Потому что рассчитано, как у лучших полководцев, то есть до секунды, но в мирных целях.

— Знаем мы твои мирные цели, — не удержался Темыч.

— На этот раз все четко, — повторил Лешка. — В лучших традициях рода Пашковых.

Он очень гордился своим старинным дворянским родом.

Если верить Лешке, он происходил именно из тех Пашковых, которые жили когда-то в знаменитом Доме на горе, в котором сейчас располагается Российская Государственная библиотека. Отец Лешки и Сашка тоже не подкачал. Он был очень известным нейрохирургом.

— В лучших традициях рода Пашковых, — ткнув пальцем в план, повторил Лешка. — Эксперимент века. Путешествие из Москвы в Петербург и обратно на перекладных электричках. Риск минимальный. Выгода несравненная.

— Это еще как получится, — никогда не принимал ничего на веру Темыч.

— Тут можете на меня положиться, — без тени сомнения проговорил Пашков. — В пятницу выезжаем из Москвы. Тут пересадка, — принялся тыкать он пальцем в схему. — Потом тут, — передвинул он палец, — опять пересадка. Ночью четыре часа ночуем на станции. Перерыв в электричках пережидаем. Ничего, Темыч, — увидал Лешка, что тот собирается высказать какие-то опасения. — У Мичмана команда большая. С ними нигде не страшно. Значит, пережидаем, и снова вперед. В общем, в двенадцать дня мы в Питере. С вокзала пилим на стадион.

— А поесть? — спросил Женька.

— На стадионе поешь, — отозвался Пашков.

— Я лично с утра привык умываться и чистить зубы, — сказал Тема.

— Перетопчешься, — замахал на него сразу двумя руками Женька. — Ну, что за человек! Тут, можно сказать, эксперимент века, а он, видите ли, всего один день не может без умывания обойтись.

— Бери пример с Женечки, — встряла Катя. — Видишь, — кинула она взгляд на его растрепанную шевелюру. — Он вообще раз в месяц причесывается.

— А вместо чистки зубов можешь пожевать «Дирол» с ксилитом и карбомидом, — подал дельный совет Пашков.

— Пожалуй, я так и сделаю, — сдался, наконец, Тема.

— После матча, — снова заговорил Лешка, — у нас еще четыре часа останется. По Питеру побродим.

— И перекусим как следует, — подхватил Женька.

— Я ему сделаю бутерброд, — направилась в кухню Таня. — А то он ни о чем, кроме еды, уже думать не может.

Услышав о бутерброде, Вульф тоже поспешил на кухню.

— Ой! — хлопнул себя Олег по лбу. — Мы же его не покормили.

— Хорош, — покачала головой Таня. — Сейчас я ему насыплю в мисочку собачий корм.

Вскоре уже Вульф и Женька жевали каждый свое. Главное, оба были довольны. Лешка воодушевленно расписывал заманчивые перспективы путешествия. Даже девочкам стало жаль, что они не могут присоединиться к фанатам «Динамо» во главе с бывалым Мичманом. Пашков умел завораживать своими планами.

Олег с завистью поглядывал на Женьку и Темыча. Он с удовольствием бы тоже поехал. Но суббота у него уже была занята. Они с Таней договорились отправиться вдвоем в Сокольники.

— Ты-то, Олег, чего? — словно прочел его мысли Пашков.

— Я не могу, — украдкой перемигнулся Олег с Таней. — Мы...

— Меня больше вот что интересует, — перебил его Темыч. — В пятницу мы уедем, а возвратимся только в субботу вечером.

— Не в субботу вечером, а в воскресенье утром, — внес ясность Пашков. — Ночью мы еще ехать будем.

— Класс! — восхитился Женька.

— Если две ночи, то меня тем более интересует, — каким-то очень занудным голосом проговорил Тема. — Не знаю, как вас, а меня, лично, предки в первую же ночь хватятся.

— А меня если даже и хватятся, то ничего страшного, — отмахнулся Женька. — Вы же знаете: у меня предки спокойные.

Васильевы-старшие и впрямь отличались завидной невозмутимостью. Это их спасало. Будь они натурами хоть немного более нервозными,

Женька давно бы свел их с ума. Дело в том, что еще в детском саду он имел обыкновение закатываться на полдня к кому-нибудь из друзей. Родителей он при этом не предупреждал. Сперва те ужасно волновались. И обзванивали в поисках «блудного сына» чуть ли не весь микрорайон. Вернувшись домой, Женька неизменно обещал им, что «в следующий раз будет умнее» и обязательно позвонит, если где-то задержится. Однако потом все повторялось сызнова. В результате у Васильевых-старших выработался иммунитет. Теперь они раньше одиннадцати-двенадцати ночи о сыне тревожиться не начинали.

— Полагаю, что двое суток даже для твоих предков многовато, — сказал Олег.

— А для моих и подавно, — снова вмешался Темыч.

— Вы что же, меня совсем за тупого держите? — поглядел на ребят Пашков. — Забыли, как у меня голова работает! В плане наше отсутствие предусмотрено. Скажем, что директор с Арсением ведут нас в поход на три дня.

— Ну, ты даешь! — уважительно похлопал Лешку по плечу Олег.

Остальные тоже поглядели на Пашкова с нескрываемым восхищением. Ничего проще, и в то же время гениальнее, придумать было невозможно. Все родители питомцев две тысячи первой школы знали: директор Михаил Петрович и его доблестный заместитель по хозяйственной части Арсений Владимирович обожают походы с кострами и ночевками в лесу. Поэтому сообщение ребят ни в одном из трех семейств не вызовет удивления.

— Ты только вот говорил, что мы едем бесплатно, — оставался всего лишь один вопрос у Темыча. — А на электрички тоже ведь надо билеты покупать.

— Мичман никогда на билеты не тратится, — возразил Пашков. — Он даже в метро без жетонов проходит, а тут всего-навсего какие-то электрички. Тем более с ним фанатов человек двадцать. Да еще нас трое. Если даже на контролера нарвемся, он с нами связываться не станет.

На этом обсуждение было закрыто. Весь остаток недели ребята только и говорили о предстоящей поездке. В четверг вечером у путешественников возникли большие осложнения. Заботливые родители как следует подготовили детей к походу. В особенности расстаралась Темина мама Надежда Васильевна. Обсудив по телефону проблемы похода с закадычной подругой Верунчиком, она до такой степени нагрузила сыну рюкзак, что тот едва его смог поднять. Другие родители ненамного отстали от Надежды Васильевны. Троих ребят снабдили таким количеством продуктов, что они при желании могли питаться этими припасами месяц.

В пятницу после уроков ребята притащили рюкзаки к Олегу. Тот скрепя сердце согласился подержать их до воскресенья у себя на антресолях. Правда, прежде, чем их туда запихнуть, ребята несколько рассортировали груз. Часть еды, не требующей готовки, по совету практичного Темы взяли с собой. Остальное вместе с теплыми вещами, одеялами, запасными носками и прочими трогательными знаками родительской заботы отправилось на антресоли...

Всю субботу до поздней ночи Олег провозился с папой на антресолях. Борис Олегович остался очень доволен.

— Вот видишь, сынок, как хорошо мы сегодня провели время, — оглядев тщательно разобранные бумаги, сказал он. — Теперь позвони своей Таньке. Можете погулять.

— Не можем, — отвечал ему сын. — Уже половина двенадцатого.

— Ну, тогда завтра погуляете, — немного смутился отец.

Олег ушел в свою комнату. «Лучше бы я поехал вместе с ребятами, — думал он с сожалением. — А то сиди тут теперь в хлеву». Добрая четверть комнаты была завалена походными принадлежностями троих путешественников. Поговорив на ночь с Таней, которая была с ним совершенно согласна, что «предки стали в последнее время просто невыносимыми», мальчик улегся спать.

Весь следующий день тоже прошел для Олега совершенно впустую. Ребята не появлялись. Ни в двенадцать, как обещал Пашков. Ни в час. Ни в два. Прогулка в Сокольники с Таней окончательно отпадала. «Хорошо, у Таньки еще легкий характер, и она все понимает», — с благодарностью думал Олег. Зато его совершенно извел собственный папа. Поднявшись в великолепном настроении, Борис Олегович сперва выяснял у сына, почему он в такую хорошую погоду сидит дома. Затем глава семейства Беляевых принялся с упорством, достойным лучшего применения, звать Олега к каким-то знакомым на дачу, где они с матерью решили провести воскресенье. Олегу пришлось сказать, что им задали на понедельник очень много уроков.

— Чего же ты вчера весь день провалandался без дела? — строгим тоном осведомился Борис Олегович.

— Вчера ты меня антресоли свои разбирать заставил, — укоряюще произнес сын.

— Вот видишь, Боренька, — скорбно покачала головой Нина Ивановна. — Лишил Олежку воздуха.

— Вас послушать, так я все делаю плохо, — обиделся Борис Олегович. — И вообще, нам ехать пора, — торопливо добавил он. — Нас, между прочим, к обеду ждут.

Вскоре, к большому облегчению Олега, родители отбыли в гости. По крайней мере теперь они не увидят, как вернутся ребята. Однако путешественники так и не появлялись. Олег вызвал Таню. Они стали ждать вместе. Вульф с беспокойным видом метался по квартире. Мальчик и девочка поневоле встревожились. Пес Олега никогда понапрасну не волновался.

— Боюсь, Танька, — поправил мальчик очки на переносице, — что вчерашняя история с рюкзаками и предком — это только начало.

— Что ты имеешь в виду? — посмотрела на него девочка.

Тут раздались три настойчивых звонка в дверь.

— Кто? — спросил Олег.

— Мы, — послышался в ответ голос Темыча.

Олег распахнул дверь и от неожиданности попятился. Вид у троих путешественников был жуткий. У Темыча левый глаз совершенно заплыл, а под ним красовался на полщеки синяк.

— Что случилось? — спросил Олег.

— Д-доездились, — заикаясь, произнес Тема.

Глава II

ПРОИСШЕСТВИЕ В ЭЛЕКТРИЧКЕ

Где это тебя так? — быстро впустив троих путешественников в квартиру, обратился Олег к Темычу.

— Н-на стадионе, — продолжал заикаться тот. — Ф-фанаты ч-чертовы.

— Сам виноват! — выкрикнул Женька. — Сидит среди фанатов «Динамо», а болеет за «Спартак».

— Чокнулся, что ли? — с удивлением посмотрел Олег на Темыча.

— Я с-случайно, — признался Темыч. — А п-потом еще труп.

— Какой труп? — изумленно уставился на него Олег.

— Мужской, — отозвался Тема.

— На стадионе? — широко раскрыла Таня и без того огромные голубые глаза.

— На каком стадионе! — выкрикнул Женька. — Откуда на стадионе труп?

— Труп был в милиции! — вмешался Лешка Пашков.

— Со мной рядом, — мрачно добавил Тема.

— После электрички! — вновь вклинился в разговор Женька.

— Он сперва был живой, а потом уже мертвый, — сказал Пашков.

— Мы с ним про футбол разговаривали! — выпалил Женька. — Он тоже за «Динамо» болеет.

— С тысяча девятьсот шестьдесят пятого года! — пояснил Лешка. — Вот такой мужик! — он поднял вверх указательный палец.

— Кто? — схватился Олег за голову.

— Труп! — немедленно пояснил Женька.

— Наверное, Олег, это кличка такая, — высказала предположение Таня. — Ну, вроде Мичмана.

— Какая кличка! — подпрыгнул чуть ли не до потолка Женька. — Самый настоящий труп!

— Как же вы с ним тогда разговаривали? — больше прежнего изумился Олег.

— Мы с ним разговаривали, пока он еще не был трупом, — пояснил Тема.

— Сперва разговаривали, а потом... — носился, как угорелый, по комнате Женька.

— Как билеты проверять стали, тогда уж... — подал голос Пашков.

— Нет, сначала мы все-таки вышли, — вмешался Темыч.

— А ну, тихо! — прикрикнул на них Олег. — Давайте-ка по порядку.

— Ты лучше сперва хотя бы воды дай попить, — потребовали путешественники.

— Сейчас принесу, — побежала на кухню Таня. Минуть через пятнадцать трое странников не только попили, но и умылись. А Темычу даже была приложена к глазу свинцовая примочка. Затем Олег позвонил Кате, но у той никого не оказалось дома.

— Видно, опять на дачу поехали, — высказал предположение Тема.

— Правильно, — подтвердила Таня. — Катька же мне вчера вечером говорила: у них там опять какая-то авария.

— Такой дом нужно или капитально ремонтировать, или скорей продавать, пока окончательно не рухнул, — важно изрек хозяйственный Темыч.

— Чем Катькину дачу обсуждать, лучше рассказывайте, что случилось, — посмотрел на троих друзей Олег.

— Да уж случилось, — старательно ощупал Темыч подбитую скулу. — Хорошо еще, кость цела.

— Сам виноват, — покрутил пальцем возле виска Женька. — На фига тебе нужно было болеть за «Спартак».

— За кого хочу, за того и болею, — отвечал ему Тема. — Мне стиль «Спартака» понравился больше.

— Раньше надо было думать, — вмешался Пашков. — И вообще, при чем тут стиль, когда едешь на матч в составе фанатов «Динамо»!

Ответа у Темыча не нашлось. Верней, ответ был, однако ни Женьке, ни Пашкову, ни остальным Темыч нипочем не решился бы признаться, что просто запутался и бурно приветствовал гол «Спартака», думая, что забило «Динамо».

— Молчишь, да? — укоряюще поглядел Пашков на Темыча. — А нам с Женькой, между прочим, тоже по твоей милости чуть не влетело. И Мичман нас больше с собой никогда не возьмет.

— Я и сам больше не поеду, — с решительным видом произнес Тема.

— О спорте потом, — вмешался Олег. — Лучше скажите, откуда труп.

— Так мы и говорим! — заорал Женька. — Если бы Темычу в глаз не заехали, трупа никакого бы не было.

— То есть? — в полном недоумении воскликнули Олег и Таня.

— Верней, труп бы был, но нас бы не было, — сказал Пашков.

— Что? — уставился на него Олег.

— Слушайте, а немного понятней нельзя? — взмолилась Таня.

— Действительно, — поддержал ее Олег.

Трое путешественников к этому времени уже несколько успокоились и сумели более внятно изложить все, что с ними произошло.

До Питера они добрались без особенных приключений. План Мичмана — Пашкова работал достаточно четко. Некоторую досаду вызывали несостыковки с расписанием, из-за которых команде фанатов «Динамо» пришлось провести лишних часа полтора-два на очень неуютных ночных полустанках. Но так как команду Мичман набрал большую, то и во время вынужденных простоев никто особенно не скучал. Страшно тоже не было. Словом, когда очередная электричка доставила ребят в Петербург, Лешка не преминул заметить Женьке и Темычу:

— Говорил же: на этот раз отлично сработает!

На стадион тоже поспели вовремя, за двадцать минут до начала матча. Так что у особо ярых фанатов из команды Мичмана оставалось достаточно времени для «обмена любезностями» с фанатами «Спартака». Несколько раз словесные перебранки, к ужасу Темыча, едва не переходили в драки. Однако Мичман, не любивший конфликтов с милицией, достаточно ловко утихомиривал обе стороны.

Словом, как уверяли Пашков и Женька, поездка прошла бы отлично, не выступи так невовремя Темыч на стороне «Спартака». Главное, что его угораздило это сделать именно в тот момент, когда спартаковцы забили второй гол, и счет стал два — один в их пользу.

Едва Тема выразил бурный восторг по поводу красивого, по его мнению, гола, как с ходу получил в глаз от одного из фанатов. Мичман и тут постарался вмешаться. Это спасло Тему от более тяжких увечий. Однако так как «Спартак» умудрился забить в ворота «Динамо» еще один гол, Мичман честно предупредил: или Темыч немедленно убирается подальше от стадиона, или за его сохранность никто поручиться не сможет.

Темыча уговаривать не пришлось. В следующее мгновение он развел столь бурную деятельность по эвакуации со стадиона, что Женька с Пашковым едва за ним поспевали.

— Если бы он так не спешил, все прошло бы нормально, — поглядев на Олега и Таню, сказал Пашков.

— Если бы я не спешил, мне бы вообще каюк, — возразил Темыч. Его до сих пор бросало в дрожь при одном лишь воспоминании о жестоких фанатах «Динамо».

— Ничего бы с тобой особенного не случилось, — возразил Женька. — Ну, дали бы еще раз по морде. Делов-то. Чего было так бежать.

— Вот сам бы и не бежал, — буркнул Тема.

— Я и не бежал, — отозвался Женька. — Мы просто тебя одного оставлять не хотели.

— И план поэтому остался у Мичмана, — подхватил Пашков. — А в нем размечено расписание электричек на обратную дорогу.

— Ясно, — тихо произнесла Таня.

— Мне, кажется, тоже, — с большим сочувствием поглядел Олег на троих путешественников.

Однако они с Таней не представляли себе даже малой части тех бедствий, с которыми пришлось столкнуться Женьке, Теме и Лешке. План этой поездки и впрямь вобрал в себя опыт двух незаурядных личностей, коими, без сомнения, были Пашков и Мичман. Пашкову принадлежала аналитическая часть. Мичман же вложил в разработку проекта богатый житейский опыт. Теперь, без плана, Темычу, Женьке и Лешке приходилось выбирать время электричек наугад. Пашков напрочь забыл, каким поездом следует отправляться в обратную дорогу.

Вообще-то Мичман говорил Пашкову, когда всем нужно встретиться на вокзале. Но по причине поспешного бегства Лешка уточнить время и место встречи забыл. Спохватился он только после того, как они вместе с Женькою и Темычем сперва как следует погуляли по Невскому проспекту. Затем Темыч хотел зайти в Эрмитаж, но Женька принялся возражать, что они все равно ничего как следует там посмотреть не успеют. Поэтому, по его мнению, было куда разумней еще прогуляться по городу.

Друзья нашли возражения Женьки резонными. Тот потащил их к киоску, где они приобрели на практически последние деньги карту города. Женька крайне внимательно изучил ее. Затем объявил, что, если уж и есть смысл что-то осматривать в Питере, то это, конечно, кунсткамера. Пашков горячо поддержал идею, добавив, что в кунсткамере есть много заспиртованных уродов, которые там хранятся еще со времен Петра Первого. Темыч, всегда увлекавшийся медициной и биологией, тоже против кунсткамеры не имел возражений.

Сверившись с картой, друзья добрались до Университетской набережной. Там их ждало разочарование. Кунсткамера оказалась закрыта. Темыч по этому поводу проворчал, что «вечно все самое интересное проходит мимо». Женька с Пашковым были настроены не столь мрачно. Впрочем, и Темыч вскоре приободрился. Еще раз изучив карту города, он решил идти в Александро-Невскую лавру, где есть некрополь великих людей. Тут Женька с Пашковым решительно воспротивились. Они сказали, что «ненавидят могилы». Темыч философски заметил, что «все мы в конце концов там будем», но и это не произвело впечатления на друзей. Зато Женька обнаружил на карте Петропавловскую крепость.

Пашкову немедленно вспомнилось, что один из его дальних предков однажды там сидел в каземате за какую-то дуэль. Поэтому он счел посещение Петропавловки для себя делом чести. Он таким образом отдавал дань памяти предку.

— Тем более, — провел Лешка указательным пальцем по карте, — что идти-то недалеко.

Ребята двинулись в путь. Дорога оказалась куда более длинной, чем они предполагали. Ступив на мостовую Петропавловки, Темыч заявил, что нужно сразу идти в усыпальницу русских царей, про которую им рассказывал на уроках истории любимый классный руководитель Андрей Станиславович. Пашков с Темычем не согласился. Он сказал, что цари подождут. А перво-наперво надо осмотреть казематы. Должен же он, Пашков, знать, в каких условиях содержали его далекого предка.

Тогда Темыч сказал, что один пойдет в усыпальницу русских царей. Пашков отправился искать свои казематы. Женька, поколебавшись, составил ему компанию. Казематы им не понравились. Больше всего Пашкова возмутило, что нет мемориальной доски.

— Про декабристов, пожалуйста, — с негодованием говорил он Женьке. — А Пашковы что, хуже? Зря мой предок тут сидел!

— Да перестань ты, — утешал его Женька. — Хочешь, можем фломастером мемориальную надпись оставить, — полез он в карман, где у него всегда было наготове несколько разноцветных фломастеров.

Идея Пашкову пришлась по душе.

— Действительно! — хлопнул он по плечу Женьку. — Сейчас восстановим историческую справедливость.

Женька уже занес руку с черным фломастером возле одной из мрачных темниц.

— Чего писать-то будем? — повернулся он к Пашкову.

Лешка в нерешительности потоптался на месте.

— Не знаю, Женька. Надо сначала определить, в каком из казематов мог сидеть мой предок.

— Какая разница, — отмахнулся долговязый мальчик. — Они тут все одинаковые.

— Одинаковые-то одинаковые, — ответил Пашков. — А если мы напишем, а как раз в этой камере содержали какого-нибудь врага моего предка.

— Ты лучше скажи имя-отчество, — потребовал Женька.

Пашков задумался.

— Не помню, — наконец изрек он.

— Тогда просто напишем... — принялся выбирать местечко получше Женька. — «Тут был зверски замучен пламенный русский дворянин Пашков».

— Вообще-то он просто тут немножечко побыл под арестом, а потом его выпустили, — сообщил Лешка. — Так что «зверски замучен» не подходит.

— А ты думаешь, все остальные, про которых написано «зверски замучены», и впрямь замучены? — отстаивал свой вариант текста Женька. — Главное, чтобы красиво звучало. Тогда этот твой далекий предок обязательно останется в памяти потомков. И там, у себя на небе, будет нам благодарен.

Последний аргумент показался Лешке крайне весомым.

— Пиши, — разрешил он Женьке.

Не успел, однако, тот вывести даже первой буквы, как перед ними возникла разъяренная смотрительница музея-крепости.

— Вы что это тут хулиганите? — вцепилась она в Женькино плечо.

— Мы не хулиганим, — тщетно пытался вырваться Женька.

— Просто осматриваем, — подхватил Лешка.

— У него тут далекий предок сидел! — выкрикнул Женька.

— Знаем мы ваших предков, — не отпускала Женьку смотрительница. — Такие хулиганы, как вы, скоро всю нашу крепость ругательствами испишут. Каждую ночь ваши художества соскребаем.

— Я из рода Пашковых, — оскорбился Лешка. — И никакие ругательства мы не пишем.

— Восстанавливаем эту... — заорал Женька. — Историческую справедливость.

— Вот сейчас и пойдете ее со мной восстанавливать к директору в кабинет, — поднесла к губам свисток смотрительница.

— Не надо! — повис на ее руке Пашков.

— А вы, может, сюда вообще без билетов прошли? — охватили совсем небезосновательные подозрения смотрительницу.

Положение складывалось угрожающее. Темыч, Женька и Лешка и впрямь просочились в крепость-музей безо всяких билетов. У входа они примкнули к толпе иностранцев, причем Лешка для пущей убедительности несколько раз проорал: «Ду ю спик инглиш?» Этим он поверг в полный шок делегацию смуглых черноволосых иностранцев, которая общалась между собой на каком-то птичьем языке.

И вот теперь обман мог раскрыться. Этого допустить было никак нельзя.

— Мы билеты на входе отдали, — нашелся Пашков.

— Отпустите ребят. Они тут со мной, — вдруг пришел им на выручку какой-то мужчина лет сорока.

— Дядя Вася! — немедленно сориентировался Женька. — А мы тебя ищем, ищем.

— Вот хотели даже записку тебе тут на стене оставить, — радостно сообщил Пашков.

— Приглядывать надо за своими племянниками, — враз поскучнела смотрительница. — А то у нас через таких скоро вообще от казематов ничего не останется.

— И Бастилия падет, — усмехнулся мужчина приятной наружности.

— Гражданин! У нас тут не Бастилия, а Петропавловская крепость, — строго сказала смотрительница и ушла.

— Спасибо, — с благодарностью поглядели ребята на неожиданного спасителя.

— Не за что, — улыбнулся мужчина. — Я сам таким был. Небось без билетов пролезли? — заговорщицки подмигнул он ребятам.

— Ну, вроде этого, — уклончиво отвечал ему Лешка.

— Я, кстати, однажды в вашем примерно возрасте тоже тут, в казематах, надпись оставил, — улыбнулся мужчина. — На потолке.

— Фломастером? — поинтересовался Женька.

— Краской, — ответил мужчина. — Имя свое написал. Кстати, — повернулся он к Женьке. — Откуда ты знаешь, что меня Василием завут?

— Да просто выкрикнул первое, что пришло в голову, — объяснил долговязый мальчик.

— Ясно, — усмехнулся мужчина. — Хорошая у тебя реакция. Ладно. Не попадайтесь больше смотрителям на глаза.

Он удалился.

— Бывают еще на свете хорошие люди, — проводил его благодарным взглядом Пашков.

— Увековечивать предка-то будем? — не хотелось сдаваться Женьке.

— Нет, — боялся Пашков, как бы смотрительница их вновь не накрыла. — Лучше не рисковать. А то нам уже скоро на вокзал нужно ехать.

— А во сколько мы с Мичманом встречаемся? — посмотрел на него Женька.

— То ли в шесть, то ли в полседьмого, — растерянно проговорил Лешка.

— А где? — спросил Женька. — Вокзал-то большой.

Тут Пашков совсем растерялся.

— Мы забыли договориться.

— Во, отмороженные! — взвыл Женька. — Как же мы теперь обратно поедем?

Денег у отважных путешественников совсем не осталось. После прогулки по Питеру Женька почувствовал новые приступы голода. До утра он еще мог как-нибудь продержаться, но если они тут останутся...

— Как-нибудь доедем, — ободрил Пашков. — Мы же с Мичманом вместе план разрабатывали. А память у меня отличная. Сейчас на вокзале в расписание гляну, вся схема в голове, как живая, встанет.

— Тогда поехали! — ринулся к выходу из крепости Женька.

— Погоди. Темыча забыли, — остановил его Пашков.

Они условились встретиться с ним на площади перед выходом. Однако его нигде не было видно. Смеркалось. Пашкова и Женьку охватило волнение. Не хватает еще потерять Темыча.

— Ладно. Пошли, — минут пятнадцать спустя сказал Женька. — Темыч, наверное, уже на вокзале нас ждет.

— Мы с ним так не договаривались, — возразил Лешка.

Тут появился Темыч. Подбитый глаз у него совсем заплыл.

— Ну, ты у нас прямо адмирал Нельсон, — бестактно заржал Женька.

— Бери выше. Кутузов! — вмешался Пашков. — Кстати, один из моих предков у Кутузова был ординарцем, — похвастался он.

— Тот самый, который тут в каземате сидел? — поинтересовался Женька.

— Нет, — покачал головой Пашков. — Его родной брат.

— Нам, между прочим, в Москву срочно надо, — проворчал Темыч. — Мне, может быть, завтра вообще придется врача из поликлиники вызывать.

— Сам виноват, — отозвался Пашков. — Мы тебя тут уже давно ждем. Куда ты запропастился?

— Лекцию слушал. Про усыпальницы русских царей, — с важностью принялся объяснять Тема. — Не хуже нашего Андрея рассказывали. Теперь я знаю, как наших царей хоронили...

— Нам теперь не о царях нужно думать, а о том, как в Москву добираться, — перебил его Женька.

Они поспешили на вокзал. Расписание пригородных поездов и впрямь освежило память Пашкова.

— Наш поезд! — радостно воскликнул он.

— Успеваем? — осведомился Женька.

— Нет, — жизнерадостно отвечал Пашков. — Уже ушел.

— Допрыгались, — проворчал Тема.

— Подумаешь, — ничуть не смущали подобные мелочи Пашкова. — Следующей электричкой доберемся. Десять минут осталось. Как раз успеваем. Нам надо на третий путь. Бежим.

Друзья кинулись к третьему пути. Электричка действительно еще стояла.

Едва друзья сели на места, как Темыч принялся ныть, что теперь у него от удара в глаз обязательно будут какие-нибудь осложнения. И вообще ему требуется срочная медицинская помощь, которой он по вине Пашкова лишен. А, кроме того, если бы не Пашков, то он, Темыч, вообще сейчас сидел бы спокойно дома и смотрел телевизор совершенно здоровыми глазами.

Неизвестно, сколько бы еще длились причитания Темыча, если бы друзья вдруг не увидели, что электричка пронеслась мимо нужной им станции. Пришлось выходить на следующей и на встречной электричке возвращаться обратно.

Потом они, дрожа от холода и страха, четыре с лишним часа провели на пустынной станции в обществе донельзя запущенного бомжа и его собаки, которая носила гордую кличку Чарльз. Впрочем, в ту ночь этот бомж показался ребятам не столь уж плохим компаньоном. Во всяком случае, с ним было не так жутко от воплей, которые то и дело доносились из близлежащей рощи.

Когда, наконец, подошла сияющая огнями электричка, трое друзей ощутили почти полное счастье. Правда, из графика они совершенно выбились. В то время, когда путешественники, по расчетам Пашкова, уже должны были прибыть домой, они садились на электричку в Твери.

— Ну, все. Теперь по прямой, — облегченно вздохнул Пашков.

— Сплюнь три раза, — поглядел на него здоровым глазом Темыч.

Лешка на это обиженно заявил, что плевать никуда не будет. Потому что, если уж у него все получается четко, то надо просто спокойно садиться и ехать.

Пустых мест в вагоне оказалось много. Ребята устроились на скамейке и тут же услышали:

— Здорово, племяннички! Куда путь держим?

Подняв головы, Пашков и Женька увидели напротив того самого мужчину, который спас их в Петропавловской крепости от разгневанной смотрительницы.

— Дядя Вася! — обрадовался ему, словно родному, непосредственный Женька.

— Можно для простоты Василий Николаевич, — улыбнулся мужчина.

— Это еще кто такой? — уставился с подозрением на мужчину Темыч.

— Ты лучше скажи, где это тебя так? — посмотрел Василий Николаевич на заплывший глаз Темыча.

— На футболе, — коротко объяснил тот.

— Вы лучше ему не напоминайте! — взмолился Пашков. — Он нас этим своим глазом всю дорогу изводит. А виноват во всем сам. Поехал с фанатами «Динамо», а болеть начал за «Спартак».

— Нехорошо, — покачал головой Василий Николаевич. — Я сам за «Динамо» болею с тысяча девятьсот шестьдесят пятого года.

Узнав об этом, друзья рассказали, как поехали большой компанией из Москвы на матч, но случайно отстали. Теперь вот приходится добираться домой самим.

— И, конечно, опять без билетов, — покачал головой Василий Николаевич.

— Черт с ними, с билетами! — выкрикнул Женька. — Жрать очень хочется.

Василий Николаевич извлек из большой пластиковой сумки сверток. В нем оказались бутерброды.

— Налетай! — весело скомандовал он.

Ребята церемониться не стали. Даже Темыч на время забыл о своем «боевом ранении». Пока они шумно жевали, новый знакомый им объяснил причину случайной встречи. Оказывается, расставшись с ребятами, он заехал из Питера в Тверь к знакомым. А вот теперь возвращается в Москву.

— Очень приятная получилась встреча, — дожевал бутерброд Темыч.

— И приятная, и полезная, — уточнил Женька.

— Господи! — вздохнул мужчина. — Давно ли я сам таким был. А вот теперь уже сорок пять стукнуло.

— Да вы еще ничего, нормальный, — решил подбодрить его Женька.

— Спасибо тебе на добром слове, — усмехнулся мужчина. — Вы сами-то где в Москве живете? Самое интересное, если мы с вами еще и соседями окажемся.

— На Садовой Спасской, — первым ответил Пашков.

— Мимо, — развел руками Василий Николаевич. — У меня квартира совсем в другой части города. У метро «Сходненская». Ладно. Пойду покурю. А насчет билетов не волнуйтесь, — добавил он. — Если вдруг контролер, я за вас штраф, так и быть, заплачу.

Он вытащил из кармана пачку сигарет и скрылся в тамбуре. Ребята, измученные двумя бессонными ночами, как-то незаметно заснули.

Проснулись они от того, что их кто-то очень грубо тряс за плечи.

— Уже приехали? — спросил Темыч.

— Приехали, — подтвердил чей-то грубый голос. — Билет предъяви.

Остатки сна мигом слетели с Темыча. Пашков и Женька тоже очнулись.

— Билеты у дяди Васи, — убежденно заявил контролеру Женька.

— И где ж, интересно, он? — с недоверием поглядел на них контролер.

— Мешок его тут, — предъявил Женька контролеру пластиковую сумку Василия Николаевича.

— Ты бы мне еще газету его вчерашнюю предъявил, — не проникся особым доверием к такому доказательству контролер. — В общем так, дорогие мои, — продолжал он. — Одно из трех. Либо гоните билеты. Либо, пожалуйста, штраф. Либо показывайте своего дядю Васю.

— Так он ведь в тамбуре курит, — вспомнилось Пашкову.

— Я не гордый, — хищно взглянул на ребят контролер. — Пошли в тамбур.

Они пошли. Василия Николаевича там не оказалось.

— Ну, так, касатики, — загорелись у контролера глаза в предчувствии близкой добычи. — Гоните билетики. Или денежки.

— У нас все у дяди Васи, — жалобно проговорил Женька. — Давайте мы его в другом тамбуре посмотрим.

— Дело ваше, — согласился контролер.

Не успели они, однако, сделать и шагу, как из соседнего вагона вылетел второй контролер.

— Мироныч, — шепотом обратился он к первому. — У нас там...

И, склонившись к уху Мироныча, второй контролер начал что-то шептать.

Выслушав напарника, Мироныч повернулся к ребятам.

— Вот что, — строгим голосом произнес он. — Возвращайтесь в вагон и ждите там дядю. Везучие вы. Не до вас нам. Так, Ленька, — посмотрел он на более молодого контролера. — Ты иди обратно, а я к милиционерам. Тут во втором вагоне двое из Клинского отделения едут. Я у них вроде рацию видел.

Контролеры немедленно двинулись каждый в свою сторону.

— Что у них там случилось? — посмотрел на друзей Пашков.

— Видимо, дело серьезное, — с волнением произнес Женька. — Никогда не видел, чтобы целых два контролера так запросто безбилетников отпустили. Пошли поглядим.

— Я уже всего нагляделся, — с большим раздражением проговорил Темыч. — С меня, лично, хватит.

— И дядю Васю подождать надо, — был с ним согласен Пашков. — Может, у него что-нибудь в сумке ценное. Мы уйдем, а он за сумкой вернется. И подумает, будто мы ее украли.

— К тому же, если мы тихо отсидимся на месте, контролеры больше о нас не вспомнят, — привел еще один аргумент Темыч. — Вы же слышали: они собрались в Клину выходить.

— Правильно, — обрадовался Женька. — Они на следующей остановке вылезут, а мы спокойно доедем до Москвы.

— Других контролеров уже явно не будет, — подтвердил Пашков.

Поставив поаккуратней на сиденье пластиковую сумку, друзья стали лениво смотреть в окно. Несколько минут спустя сквозь вагон торопливо прошел Мироныч в сопровождении двух милиционеров с рацией, из которой слышался громкий голос, прерываемый треском.

Ребята невольно втянули головы в плечи. Однако контролер, еще недавно проявлявший к ним такой неподдельный интерес, прошествовал мимо, даже не поглядев в их сторону. Ребята облегченно вздохнули.

— Ну, теперь до Москвы уж точно доедем, — бодро произнес Пашков.

— Вечно ты торопишься с выводами, — укоряюще посмотрел на него здоровым глазом Темыч.

— Тут торопись, не торопись, — усмехнулся Лешка. — Сами видели: мы им теперь совершенно без интереса. И потом нас, Пашковых, интуиция еще никогда не подводила. Наш род даже в древних летописях фигурирует как...

Договорить он не успел. В вагон вернулся Мироныч.

— Пришел ваш дядя?

— Нет, — отвечали ребята.

— Ну-ка, — положил Мироныч руку на Женькино плечо. — Ты вроде постарше. Пойдем со мной.

— Нет уж, мы вместе, — возразили Темыч и Лешка.

— Сидите. Сейчас вернется ваш братик, — заверил Мироныч. — Тут просто есть одно дело...

И он решительно потащил Женьку в соседний вагон. Тот не знал, что и подумать. Впрочем, на размышления у него и времени особенного не оставалось. Мироныч раздвинул стеклянную дверь, ведущую в соседний вагон.

— Взгляни, — остановился он перед крайней скамейкой. — Это случайно не ваш дядя?

Женька взглянул. На лавочке, скрючившись, неподвижно лежал Василий Николаевич.

Глава III

ШОК

— Ваш родственник? — повторил Мироныч.

— Это д-дядя В-вася, — заикаясь, пролепетал Женька. — Его ч-что? Уб-били?

— Нет, — покачал головой один из милиционеров. — Похоже, сердечный приступ. У него как, у вашего дяди, сердце-то было здоровое?

— П-почему было? — не мог отвести глаз Женька от совершенно неподвижного Василия Николаевича.

— Было, — повторил Мироныч. — Жизнь, брат, сложная штука, — положил он руку на плечо Женьке. — Был человек, и нет человека.

— Как это нет? — вытаращился на него Женька.

— Уведите парня, — скомандовал милиционер. — Нечего ему тут делать.

— Пошли, брат, — повел Мироныч мальчика обратно к друзьям.

— Ты чего? — вытаращились на встрепанного Женьку ребята, когда он и Мироныч вернулись.

— Т-там, д-дядя В-вася... — только и смог вымолвить долговязый мальчик.

— Что — дядя Вася? — всполошился Пашков.

— Умер ваш дядя Вася, — не стал скрывать горькой правды Мироныч. — Похоже, сердце не выдержало.

— Чего не выдержало? — переспросил Темыч.

— Кто уж там разберет, — отозвался Мироныч. — Вы мне лучше скажите, ваш дядя вообще-то здоровым был?

— Только что был здоровым, — никак не мог прийти в себя от потрясения Женька.

— Ну, а таблетки какие-нибудь принимал? — задал новый вопрос Мироныч. — Или там валидольчик.

— При нас не принимал, — отвечали ребята. — Но вообще-то мы...

Они хотели объяснить Миронычу, что Василий Николаевич им никакой не дядя, а совершенно случайный знакомый. Но тут поезд начал замедлять ход.

— Вот что, — перебил друзей Мироныч. — Сейчас в Клину остановка. Придется вам выйти. Ответите на вопросы милиционеров. Вещи у вашего дяди были?

— Вот этот пакет, — поглядел Женька на пластиковую сумку Василия Николаевича. — Мы же вам говорили.

— Вы мне много чего говорили. Запомнишь тут, — ответил Мироныч. — Берите его сумку, и пошли.

— Но он нам вообще-то... — попытался еще раз объяснить Темыч, что Василий Николаевич им не родственник.

— После поговорим, ребята, — вновь недослушал Мироныч. — Главное, не отставайте. Следуйте четко за мной.

Поглядев на маленького щуплого Темыча, контролер вдруг взял его за руку. Видно, ему показалось, что это самый младший племянник покойного.

— Я, между прочим, и сам умею ходить, — обиженно буркнул Темыч.

— Поговори у меня еще, малец! — строго прикрикнул на него контролер.

Темыч громко засопел от обиды, но в пререкания с Миронычем вступать поостерегся. Как-никак, они ехали без билетов. Да и с милицией еще неизвестно как сложится.

Шествуя впереди всех, Мироныч и Тема вошли в медпункт. Следом за ними появились милиционеры. Они несли на носилках тело, прикрытое брезентом. Ребятам стало не по себе. Они, словно бы по команде, отвернулись.

— Так. Значит, кто тут родственники? — уселся за столик еще один милиционер, которого ребята до сих пор не видели. — Идите-ка ближе, — подозвал он троих незадачливых путешественников.

Ребята, по-прежнему избегая смотреть в ту сторону, где лежал Василий Николаевич, приблизились к милиционеру.

— Начнем по порядку, — раскрыл он блокнот. — Тебя как звать? — ткнул он карандашом в сторону Пашкова.

— Меня-то? — переспросил Лешка.

— Ну, не меня же, — отозвался милиционер.

— Марат Ахметов, — выдержав небольшую паузу, назвался Пашков именем одноклассника.

— Но... — заикнулся было Женька.

Темыч наступил ему на ногу. Женька послушно умолк.

— Адрес? — не поднимая взгляда от блокнота, спросил милиционер.

Пашков с большой старательностью продиктовал адрес Марата, не забыв назвать почтовый индекс, номер телефона, подъезд и этаж.

— Этаж не нужно, — покачал головой милиционер.

— Теперь давай ты, — ткнул он карандашом в сторону Женьки.

— Чего я? — заволновался Женька.

— Чего-чего. Фамилию говори.

— Мою-то? — с идиотской улыбкой проговорил Женька.

— Забыл, как звать, что ли? — хмуро взглянул на него милиционер.

— Забудешь тут, — вмешался Темыч.

— А тебя-то кто так? — только сейчас заметил милиционер заплывший глаз Темыча.

— Ударился, — не стал вдаваться в подробности тот.

— Сейчас тебе помощь окажем, — решил проявить заботу милиционер. — Марья Ивановна! — крикнул он в глубь помещения. — Обработайте парню глаз, пока я с его братьями занимаюсь.

В коридоре возникла пожилая рыхлая женщина.

— Маленький мой! Кто ж тебя так? — едва увидав Темыча, запричитала она.

— Я не маленький, — злобно ответил тот.

— Да, да, мы большие. Большие мы, — засюсюкала рыхлая Марья Ивановна в белом халате, — у меня самой внучок ровесник тебе. Тоже в четвертый класс ходит. Или ты у нас в третьем? — ласково посмотрела она на Темыча.

— Я в девятом, — уже трясло от негодования Темыча.

— Во, Семеныч, — обратилась медсестра к милиционеру. — Такой маленький, а уже в девятом. Вундеркинд небось. За год два класса проходит.

— Я, между прочим, вполне нормальный, — раздраженно изрек Темыч.

— Ну, ну, нормальный, нормальный, — сделался еще ласковей голос у медсестры. — Звать-то тебя, миленький, как?

— Олегом, — неожиданно для самого себя соврал Тема.

— Гляди-ка, Семеныч! — воскликнула женщина в белом халате. — Ну, точно у него все, как у моего внучка. Даже имя. Пойдем. Сейчас глазик тебе обработаю. Глазику больше бо-бо не будет.

И Темыча увели в соседнюю комнату.

— Так, — вновь занялся Женькой милиционер. — Ты говоришь, как твоя фамилия?

— Я пока еще ничего про фамилию не сказал, — ответил тот.

— Тогда говори, — потребовал милиционер.

У Женьки от пережитого голова работала туго. Он уже понял, что собственную фамилию называть нежелательно. Даже его спокойные и уравновешенные предки, узнав, как их дорогой сыночек на самом деле провел выходные, наверняка прибегнут к крутым репрессивным мерам. Беда же заключалась в том, что Женька никак не мог подобрать достойного кандидата, чьим именем было бы хорошо назваться.

— Ну? — явно уже начал нервничать милиционер. — Чего молчишь?

— Боря Савушкин, — назвал Женька имя еще одного их соратника по девятому «В».

— Наконец-то! — принялся писать в блокноте милиционер. — Савушкин Борис... Отчество! — потребовал он у Женьки.

— Отчество у меня это... такое... — замялся Женька, никогда не знавший Борькиного отчества.

— Васильевич, — услужливо подсказал Пашков.

— Именно, — очень обрадовала его помощь Женьку. — Савушкин Борис Васильевич.

— Ты что же, сын? — покосившись на носилки, с большим сочувствием спросил милиционер.

— Нет, нет, — испуганно замахал руками Женька.

— А вы мое отчество забыли спросить, — вклинился Пашков, чтобы перевести разговор на другую Тему.

— Правильно. Говори, — повернулся к нему милиционер.

— Ахметов Марат Хамитяевич, — услужливо сообщил Пашков.

— Выходит, вы и не братья совсем, — посмотрел милиционер на мальчиков.

Тут к ним подвели Темыча с забинтованным глазом.

— Денек походишь, мой милый, — напутствовала его медсестра, — и полегчает.

Темыч, пробурчав в ответ что-то нечленораздельное, уселся на стул между Пашковым и Женькой.

— Теперь давай-ка с тобой выяснять, — немедленно повернулся к нему милиционер. — Имя не называй. Я запомнил. Олег.

— Спасибо! — вырвалось у Темыча, который сам успел забыть, кем назвался.

— За что спасибо? — удивился милиционер.

— Ну, — замялся Темыч. — Просто так спасибо. Вы такой добрый.

Милиционер от похвалы несколько смутился. Однако слова Темыча доставили ему удовольствие.

— Глаз-то получше? — участливо осведомился он.

— Нормально, — с бывалым видом проговорил Темыч. — Пишите. Беляев Олег Борисович. — И он уверенно продиктовал адрес Олега.

— Так вы, значит, не родственники? — снова спросил милиционер.

— Одноклассники! — выкрикнул Женька.

— А дядя чей в таком случае? — вновь покосился со скорбной миной в сторону носилок милиционер.

— Ничей, — ответил Пашков.

— Просто дядя Вася! — подхватил Женька. — В каземате с ним познакомились.

— В каком каземате? — потер озадаченно переносицу милиционер.

— В Петропавловской крепости, — объяснил Пашков. — Там мой родственник дальний сидел за дуэль.

— Зверски замучен! — почему-то вырвалось у Женьки.

— Погодите-ка, погодите, — покачал головой милиционер. — Еще один родственник?

— Родственник, — подтвердил Пашков. — Но из прошлого века. Его уже давно нет.

— Чего же ты мне тогда мозги пудришь? — посуровел милиционер.

— Я не пудрю, — отозвался Пашков. — Вы сами спросили.

— Меня другое интересует, — уточнил милиционер. — Что вам понадобилось в Петропавловской крепости?

— На экскурсии были. С классом, — вдохновенно соврал Пашков. — А пока каземат моего дальнего родственника искали...

— Который там за дуэль сидел? — решил уточнить милиционер.

— Именно, — кивнул Женька. — В общем, пока мы этот каземат нашли, ребята случайно без нас в Москву уехали.

— Неаккуратный у вас педагог, — с осуждением изрек милиционер. — Надо считать своих, прежде чем ехать. Или по крайней мере хоть перекличку произвести.

— Да мы ничего. Мы почти добрались, — поторопился сообщить Пашков. — И домой родителям позвонили из Питера. Они не волнуются.

— Тогда порядок, — сказал милиционер. — Ну, а дядя Вася-то этот при чем?

— Он нам помог до Москвы доехать. Вернее, почти помог, — решил не вдаваться в подробности Темыч.

— А звали-то его как? — поинтересовался милиционер.

— Василий Николаевич, — вздохнул Женька.

Остальным тоже сделалось грустно.

— А фамилия его как? — задал новый вопрос милиционер.

— Не знаем, — пожали плечами ребята.

— Он только успел нам сказать, что живет в Москве где-то на Сходненской, — вспомнилось Женьке.

Милиционер тут же записал это в блокнот.

— Может, все же фамилию-то говорил случайно? — с большой надеждой посмотрел на друзей Семеныч.

— Нет, — вновь повторили они.

— Да вы в документах его посмотрите, — посоветовал Темыч.

— Нет при нем никаких документов, — не стал скрывать милиционер. — А что, разве были?

— Не знаем, — ответили друзья. — Нам он документов не показывал.

— А какого-нибудь багажа при нем не заметили?

— Вот, — протянул Женька пластиковую сумку. — Это его. Он на сиденье оставил, когда курить отправился.

Милиционер, выхватив у мальчика из рук сумку, немедленно начал в ней рыться. Затем с разочарованным видом отложил ее в сторону.

— Нету при нем ни документов, ни...

Тут он осекся. Ребята тоже молчали. Потом Семеныч еще кое-что уточнил. Главное, его интересовало, при каких обстоятельствах трое друзей встретились с Василием Николаевичем и не заметили ли они хоть чего-нибудь необычного в его поведении перед тем, как он отправился в тамбур. Мальчики искренне пытались помочь. Однако ничего хоть сколько-нибудь подозрительного им не вспоминалось.

— Ладно, — закрыл, наконец, блокнот милиционер. — Если понадобитесь, мы с вами свяжемся. А сейчас наша машина идет в Москву. Заодно вас подбросим. Чтобы больше не потерялись...

— А повязку Темыч, как вылезли из машины, так сразу снял и выкинул в урну, — подвел итог истории бурных странствий Женька.

— Эта повязка только мешалась, — проворчал Темыч. — И вообще она в лечении глаз ничего не смыслит.

— Кто? Повязка? — усмехнулась Таня.

— Медсестра, — сердито произнес Темыч, который никак не мог простить сердобольной женщине, что та приняла его за десятилетнего. — И вообще, — добавил он. — Если завтра не будет улучшения, придется идти к окулисту.

— Ну-ка, покажи, — присмотрелась к синяку Таня.

— Много ты в таких вещах понимаешь, — демонстративно отвернулся от нее Темыч.

Тут зазвонил телефон. Олег взял трубку. На проводе была Катя.

— Быстро ко мне! — скомандовал юный хозяин квартиры.

— Ребята приехали? — поинтересовалась Катя.

— За Темку небось волнуешься? — усмехнулся Олег. — Что ж, основания у тебя есть.

— Что такое? — и впрямь встревожилась Катя.

— Приходи — узнаешь, — уклончиво отвечал Олег. — В общем, ждем.

Он положил трубку. Женька носился взад-вперед по гостиной. Вульф спал рядом с Таней. Олег вертел в руках очки. Это значило, что он о чем-то задумался.

— Слушай, — не выдержал Женька. — Мы тебе, между прочим, все рассказали.

— Ну, и молодцы, — механически отозвался Олег.

— А кто похавать дать обещал? — выкрикнул Женька. — Или есть давай, или я побежал домой. Я со вчерашнего дня по-человечески не ел.

— Может, мы их тушенку используем? — предложила Таня. — Все равно пропадает.

— Ага! — хищно клацнул зубами Женька. — Тушенку с макаронами. И побольше!

— Сейчас сварганим, — направилась Таня на кухню. — Иди, голодающий, — посмотрела она на Женьку. — Лук мне поможешь резать.

— Лучок! Класс! — оттолкнув Таню, Женька первым влетел на кухню.

К приходу Кати работа уже кипела вовсю. И Катя, которая явилась к ним прямо из-за стола, тоже сказала, что хочет тушенки с луком и макаронами. Однако прежде, чем друзья сели за стол, Олег заставил троих путешественников позвонить домашним. Для них была выработана версия, что директор довел их до школы. Поэтому они забежали рассказать о походе Олегу, который с ними не смог пойти, потому что у него разболелся зуб. Теперь зуб прошел, и Олег очень хочет послушать, как друзья провели время. Родители, убедившись, что дети уже в городе, разрешили им еще часик посидеть у Олега.

По завершении дипломатических переговоров со старшим поколением Компания с Большой Спасской дружно кинулась на еду. Оказалось, что Таня извела практически весь запас тушенки, которым родители снабдили троих ребят. По этому поводу Женька с негодованием отметил, что предки совершенно ничего не понимают в походах. Потому что если бы пришлось и впрямь идти с директором и Арсением в лес, то столь скудных запасов еды им бы наверняка на два дня не хватило. Но в общем-то даже Женька сейчас абсолютно насытился. Он сказал, что вполне спокойно теперь доживет до ужина.

Затем друзья вернулись в гостиную. Темыч специально уселся так, чтобы Кате был виден его пострадавший в боях глаз. О конфликте, вспыхнувшем на стадионе, Кате доложили за едой. Реакция девочки Тему обрадовала. Катя не на шутку встревожилась. Темыч отметил про себя, что, оказывается, иногда даже бывает полезно получить в глаз. Однако радость свою он умело прикрыл маской страдания. Теперь он время от времени демонстративно потирал ушибленный глаз или вдруг принимался издавать стоны, которые казались ему по-мужски сдержанными. Неизвестно, сколько бы еще времени это продлилось, но Катя вдруг с усмешкой проговорила:

— Слушай, ты когда-нибудь перестанешь охать, как старая бабка?

Удар был нанесен в самое сердце. Кровь бросилась Темычу в голову. И, сжав кулаки, он грозно проговорил:

— Вот как врежу тебе в глаз, тогда сама заохаешь.

— А ну, прекратите! — крикнул Олег.

Темыч уселся в кресло так, чтобы больше вообще не видеть Катю.

— А ты вообще хорош гусь! — поглядел на него с укором Олег. — На фига ты в милиции мое имя и адрес назвал?

— Не знаю, — честно ответил Темыч. Сидя в уютной гостиной Олега, он и сам не мог понять, зачем обманул милиционера.

— И вообще, это Пашков первый начал! — заступился Женька за Темыча.

— Ну, конечно! — обиделся Лешка. — Я их, можно сказать, задарма на такую экскурсию свозил, а они на меня всех собак повесили.

— Я на тебя не вешал ни собак, ни кошек, — засмеялся Женька.

— Неостроумно, — продолжал Пашков. — А назвался я чужим именем, чтобы вас, дураков, не накрыли предки, когда этот милиционер из Клина начнет звонить.

— А мне, значит, можно звонить! — возмутился Олег.

— Тебе-то что, — отмахнулся Пашков. — Ты же на футбол в Питер тайно не ездил.

— Зато в Клин запросто мог попасть. У меня, между прочим, предки утром за город уехали. За это время, что их нету дома, я, теоретически, мог смотаться в Клин и обратно. А отец у меня, вы же знаете, вообще на всякие расследования очень болезненно реагирует.

— Но в данном-то случае ведь не мы будем расследовать, а милиция, — возразил Темыч. — Да еще в Клину.

— Какая разница, — продолжал Олег. — Я только надеюсь на то, что никто из вас больше им не понадобится.

— Вообще-то скорее всего так и произойдет, — вмешалась Таня. — Человек умер от инфаркта. Где он живет, ребята примерно сказали. Имя-отчество тоже известно. И родные наверняка его будут разыскивать.

— А если он одинокий? — поглядел на друзей Олег. — И квартиру снимает. А прописан, например, совсем в другом месте.

— Вот когда так окажется, тогда и будем думать, — отмахнулся Женька. — Чего ты, Олег, раньше времени панику разводишь.

— Хороший вообще-то мужик был, — вздохнул Пашков. — И нам помог. Жалко мне его.

Остальные тоже погрустнели.

— Я все думаю, — сказал Темыч. — Не засни мы тогда, может, Василия Николаевича удалось бы спасти.

— Если его в тамбуре сильный инфаркт хватил, то не спасли бы, — возразил Пашков. — Мой отец говорит: когда разрыв сердца, человек даже иногда охнуть не успевает.

— Странная вообще-то история, — покачал головой Олег.

— Скорее грустная, — хором отозвались девочки.

— Я не о том, — покачал головой Олег.

— А о чем? — насторожились остальные.

— Меня многое настораживает, — с загадочным видом сказал Олег.

— В медпункте определили «обыкновенный инфаркт», — который раз за сегодняшний день повторил Женька.

— Вполне вероятно, так оно и есть, — снова принялся теребить очки Олег. — Но у меня, лично, много вопросов. Первое, — поднял он вверх указательный палец. — Почему у него при себе не оказалось документов?

— Может, их у него из кармана вытащили, — предположил Темыч. — По электричкам знаете, какая публика шастает. А он еще в Тверь заезжал к кому-то.

— Кстати, — вдруг вспомнилось Пашкову. — Милиционер как-то странно сказал. Мол, у Василия Николаевича не оказалось при себе ни документов, ни... А вот дальше милиционер рассказывать не стал.

— Это проще простого, — тихо проговорила Таня. — У него не было при себе ни документов, ни денег.

— На что же он нам тогда билеты купить собирался? — выкрикнул Женька.

— Вопрос второй, — немедленно отозвался Олег. — Каким образом человек отправляется в такую дальнюю поездку без документов и без денег?

— Мы-то отправились, — перебил Пашков.

— Я имел в виду не вас, а нормального взрослого человека, — усмехнулся Олег.

— Говорил же тебе: наверняка у него деньги и документы вытащили, — повторил Темыч.

— Если вытащили, то когда? — повернулся к нему Олег. — При жизни? Или когда он уже умер?

— Кто же теперь узнает? — развели руками остальные.

— Посложнее узнавали вещи, — медленно произнес Олег.

— Ты хочешь...

Не договорив, Женька вскочил на ноги. Он понял, что Олег нацелился на очередное расследование.

— Подожди, — жестом заставил его не продолжать Олег. — Тут еще разобраться надо.

— Да мы же вообще о Василии Николаевиче ничего не знаем, — сказал Темыч. — У нас даже его фотографии нет.

— Фотография нам пока не нужна, — отвечал Олег. — А вот что мне еще интересно... — он на мгновенье умолк. Затем добавил: — Мне интересно, почему он ушел курить в тамбур, а тело его нашли в соседнем вагоне.

— Ну, может, ему стало плохо, и он там решил посидеть, — предположил Женька.

— Сомнительно, — покачал головой Олег. — Уж скорее он к вам бы за помощью вернулся.

— Наверное, ты прав, — согласились друзья.

— Не наверное, а точно, — продолжал мальчик в очках. — Когда человеку плохо, он старается как можно скорее получить помощь. От вас Василия Николаевича отделяла только одна дверь тамбура. А в соседний вагон добираться куда дольше.

— А вдруг Василий Николаевич кого-нибудь из знакомых в тамбуре встретил, — выдвинула версию Катя. — Они вместе покурили. Потом зачем-нибудь зашли в соседний вагон, где сидел этот знакомый. Потом Василию Николаевичу стало плохо...

— И знакомый, вместо того, чтобы позвать на помощь или хотя бы сообщить, что человек умер, просто сбежал, — подхватил Олег.

— Разные знакомые бывают, — с глубокомысленным видом заметил Темыч.

— Вот именно, — кивнул Олег. — Василий Николаевич встречает знакомого и в результате оказывается без денег и документов.

— И к тому же мертвым, — невесело усмехнулась Катя.

— Он мог сперва умереть, а потом его ограбили, — с таким бывалым видом произнес Темыч, будто множество раз наблюдал подобные ситуации.

— Если так, — вмешался Пашков, — то Василий Николаевич скорее всего остался бы в тамбуре. Мародеры обычно трусливые. Ограбить мертвого — это тебе пожалуйста. А вот тело таскать из вагона в вагон они не будут.

— Но ведь могло случиться и по-другому, — сказала Таня. — Василий Николаевич, пока курил, кого-нибудь встретил. Тот его позвал зачем-то к себе в вагон. Там ваш попутчик неожиданно умер. Знакомый испугался и, никому ничего не сообщив, сошел с поезда на ближайшей станции. А уж потом какие-нибудь гады вытащили у Василия Николаевича деньги и документы.

— Версия неплохая, — одобрил Олег. — Но мне почему-то кажется, что деньги и документы взял именно знакомый.

— То есть? — не поняли остальные.

— Ну, тот, кто его позвал в соседний вагон, охотился за чем-нибудь из того, что находилось в карманах Василия Николаевича.

— Ты хочешь сказать, что его... убили? — прошептала Таня.

— Но у него же сердечный приступ был, — напомнил Пашков.

— Это предварительный диагноз, — принялся объяснять Тема. — Окончательный будет только после вскрытия.

— Вот именно, — кивнул Олег. — А потом...

— Что потом? — подскочил к нему Женька, который за последние десять минут уже совершенно извелся от нетерпения.

— Не сбивай меня с толку, — строго взглянул на старого друга Олег. — Так о чем это я?

— Ну, вот! Забыл! — исторг трагический вопль Женька.

— С тобой, Женечка, все позабудешь, — фыркнула Катя. — Мотаешься перед глазами, как маятник у Эдгара По.

— Да ладно тебе! — добродушно улыбнулся Женька.

— А потом, — повторил Олег, — если этому знакомому, например, было известно, что у Василия Николаевича больное сердце, он запросто мог его довести до инфаркта.

— Таких случаев медицине сколько угодно известно, — сел на любимого конька Темыч.

— Поехали, — закатила глаза к потолку Катя. — Очередное выступление Темочки из цикла «Ваш домашний доктор».

— И вообще, — указал на Темин подбитый глаз Женька. — Исцелися сам.

— Очень умно, — проворчал Темыч.

— Погодите, — вмешался Олег. — Темка, между прочим, говорит дело. Сердечника иногда достаточно просто напугать и...

— А вдруг он вообще чего-то боялся? — подхватила Таня.

— Непохоже, — покачал головой Пашков. — По виду он был мужиком решительным.

— Иногда даже самые решительные чего-нибудь боятся, — не подействовали на Олега слова Пашкова.

— И вообще, почему Василий Николаевич нам так обрадовался, когда увидал в электричке, — сказал недоверчивый Тема. — Едут вроде какие-то чужие ребята без денег, а он к нам прямо как к родным.

— А ты не допускаешь, что вам просто человек хороший попался? — спросила Катя.

— Вот именно! — взмахнул сразу двумя руками Женька. — Дядя Вася он такой... такой... — никак не мог он подобрать нужного слова.

— Может быть, и такой, — снова заговорил Олег. — А может быть, именно потому и обрадовался, что ему вместе с вами ничего не угрожало.

— А что мы могли сделать, если его кто-то решил убрать? — удивился Пашков.

— Если хотели, например, убрать по-тихому, то свидетелей бы поостереглись, — объяснил Олег. — Кстати, — повернулся он к Женьке. — Что было у него в сумке?

— Не знаю, — пожал тот плечами. — Мы ее просто отдали.

— Молодцы, — укоряюще произнес Олег. — Учи вас.

— Тебе хорошо говорить, — вступился Пашков за Женьку. — А мы... там... вообще...

— Вот и ехал бы с нами, — подхватил Тема. — Нечего было отсиживаться.

— Эх, если бы вы не отдали сумку... — с большим сожалением продолжал Олег.

— Ну, не отдали бы и что с того? — поглядел на него Женька. — Милиционер говорит, что там ничего интересного не было.

— Так он вам правду и скажет, — стоял на своем Олег. — А потом, даже если и так, то с сумкой у нас был бы повод еще раз приехать в эту милицию. Мол, впопыхах забыли отдать личные вещи покойного. Глядишь, выяснили бы что-нибудь еще.

— Вот идиоты! — взвыл от отчаянья Женька. — Не догадались!

— А я о чем, — кивнул Олег.

— Теперь к этому клинскому милиционеру вообще не сунешься, — помрачнел Тема.

— Надо будет, сунемся! — воскликнул Женька. — Хоть сейчас обратно можем поехать.

— Вам сейчас только обратно, — фыркнула Катя.

— К тому же с фальшивыми именами, — добавил Темыч.

— Ну, паспортов-то у нас, положим, еще нету, — вдруг дошло до Олега. — Так что, в крайнем случае, можно и попробовать.

— Тогда поехали прямо завтра после уроков, — не любил откладывать интересных дел в долгий ящик Женька.

— Разбежался, — покачал головой Олег.

— А чего ждать-то, если его убили! — с такой силою проорал Женька, что зазвенела люстра на потолке.

— Убили и ограбили, — без тени сомнения произнес Пашков.

— Во-первых, мы пока еще ничего не знаем, — охладил их пыл Олег. — А во-вторых, прежде, чем в Клин отправляться, надо изобрести убедительный предлог.

— Как будто вы вспомнили что-то важное, — уточнила Таня.

— Правильно, — поддержал ее Олег. — Но для этого надо действительно вспомнить.

— А что? — уставились на него трое путешественников.

— Это уж вам виднее, — ответил мальчик в очках.

— Тогда давайте вспоминать! — потребовал Женька от Лешки и Темыча.

— Сомневаюсь, что в таком состоянии это вам удастся, — медленно проговорил Олег.

В гостиной повисло молчание. Все шестеро уже понимали: происшествие в электричке вполне может оказаться преступлением.

— Может, майору Василенко расскажем? — предложил Темыч. — Он бы тогда связался с Клином и...

— И что? — пожал плечами Олег.

— Ну, Владимир Иванович мог бы выяснить результаты вскрытия, — сказала Таня.

— И скорее всего убедился бы, что мы напрасно подняли панику, — добавила Катя.

— Хотя, — задумчиво начал Олег, — слишком уж много странных совпадений...

Тут опять зазвонил телефон. На проводе оказалась мама Темы. Она требовала, чтобы сын немедленно возвращался домой.

— Мы уже разбегаемся, Надежда Васильевна, — успокоил ее Олег.

Друзья кинулись в переднюю одеваться.

— Так мы ничего и не вспомнили, — горестно проговорил Женька.

— Утро вечера мудренее, — ответил Олег. — Завтра после уроков помозгуем над этим делом на свежую голову.

Глава IV

РЕВНОСТЬ И ТЕСТЫ

Утром друзья, как обычно, встретились возле школьной калитки.

— Ну, ты совсем, Темочка, у нас сегодня красавчик, — залюбовалась Катя синяком у него под глазом.

— Очень смешно, — проворчал Темыч. — Мне вчера за эту красоту дома влетело. Даже мать заметила.

— Ну да? — изумились друзья.

Темина мама Надежда Васильевна большую часть жизни проводила в беседах по телефону с многочисленными подругами. Все остальные события воспринимались ею смутно. Она их расценивала как досадные помехи, из-за которых приходится прерывать беседы на самом интересном месте. Однако вчера вечером она проявила невероятную для себя наблюдательность. Заметив заплывший глаз сына, она развила кипучую деятельность.

После длительных телефонных консультаций с пятью закадычными подругами ей удалось выйти на какого-то профессора-офтальмолога, который был без пяти минут академиком. Затем папа Темы был поднят из кресла, где он очень надеялся провести остаток выходного с книгой в руках. Никита Владимирович отвез жену и Тему к светиле на дачу. Светило занималось поливкой ранних овощей в оранжерее. Поэтому Темычу и его родителям пришлось сперва выслушать длинную лекцию о преимуществах «двойного обогрева тепличных культур». Затем офтальмолог сообразил, что незнакомые люди явились к нему по другому делу.

Темыч подвергся тщательному осмотру. Похоже, светило осталось разочаровано.

— Фингалис вульгарис, — презрительно объявил без пяти минут академик.

— Ой, скажите, а это опасно? — встревоженно прощебетала Темина мама.

Темин папа Никита Владимирович все понял, но промолчал. Он вообще обычно молчал.

— Не опасно, — принялся объяснять профессор. — Но синяк будет держаться две недели. Помидоры мои парниковые хотите попробовать?

Надежда Васильевна, конечно же, захотела. Потом пробовали огурцы и редиску. Впрочем, судя по гонорару, который содрал профессор с Никиты Владимировича, дегустация овощей явно включалась в счет.

— В общем, — завершил свой грустный отчет друзьям Темыч. — Вечерок у меня был что надо. Главное, мать рвалась сегодня к директору выяснять отношения. Мол, он в походе совсем за детьми не смотрит. Я ведь сказал ей, что наткнулся на дерево. Ну, ничего. После этого без пяти минут академика мать про нашего Мишу забыла.

— Теперь Темочку мамочка больше никогда в походик не отпустит, — нараспев произнесла Катя.

— Вы лучше скажите, мы едем сегодня в Клин? — воскликнул Женька, которому Темин подбитый глаз надоел еще в период путешествия из Петербурга в Москву.

— Не понимаю, почему ты так тихо? — фыркнула Катя. — Одолжил бы у Арсения Владимировича мегафон и объявил в него на весь переулок, что мы собираемся делать.

— Да ладно тебе, — смутился Женька. — В Клинто едем? — несколько тише повторил он вопрос.

— А на фига вам в эту дыру? — послышался смех за спинами пятерых друзей.

Они обернулись. Перед ними стоял признанный силач девятого «В» Марат Ахметов.

— Да так. Захотелось воздухом подышать, — уклончиво отозвался Олег.

— Воздухом? — покровительственно хлопнул его по плечу Марат. — Этого вы там днем с огнем не найдете! Предок мой говорит, что чистейший воздух только на этом... как его... Бриллиантовом берегу.

— Лазурном Берегу, — поправила Катя.

— Какая разница, — продолжал Марат. — Мы с отцом туда на весенние каникулы собираемся.

— Ясно, — кивнули детективы.

Они помнили, что всего несколько лет назад папа Ахметова, Хамитяй Хамзяевич, работал носильщиком на Курском вокзале. Затем ему удалось сделать какую-то не совсем ясную, но явно блестящую карьеру. Теперь Хамитяй Хамзяевич гордо раскатывал по микрорайону на автомобилях самых престижных марок. Сына он постоянно возил по свету. Причем не только во время каникул, но и за счет учебного времени. Несколько раз педагоги две тысячи первой пытались намекнуть Хамитяю Хамзяевичу, что подобные перерывы в занятиях сказываются не лучшим образом на и так не блестящей академической успеваемости Марата. Но отец неизменно им отвечал: «Жизненный опыт важней успеваемости. У меня, например, самого только четыре класса начальной школы, а теперь я — крутой бизнесмен. Так что пускай малец покатается. И постепенно входит в курс моих дел».

Ахметов, хлопнув еще раз по плечу Олега, усмехнулся:

— В общем, Клин вам не в кассу! А кто это тебе, Темка, фингал под глазом поставил? — удивленно спросил Марат.

— Неважно, — уклонился от объяснений Темыч. — Пошли. Звонок скоро.

Но не успели они двинуться с места, как к ним подскочила Школьникова.

— Привет, мальчики-девочки! — игриво помахала она рукой всей компании.

Тут подоспел и Пашков.

— Машка-а! Привет! — расплылся он в восторженной улыбке при виде Школьниковой.

— Не до тебя, ребенок, — даже не удостоила Пашкова взглядом девочка. — Про тесты-то не забыли? — с очень серьезным видом обратилась она к юным детективам. — Андрюшу надо спасать.

— Моя Длина в своем репертуаре, — отойдя немного в сторону, шепнула Катя на ухо Тане.

— Чувствует себя единственной спасительницей Андрея, — усмехнулась та.

Пухлая блондинка Маша Школьникова уже давно была влюблена в классного руководителя девятого «В» Андрея Станиславовича. Тот от ее выразительных взглядов и вздохов приходил в ужас. Однако Школьникова надежд не теряла. В дни, когда Андрей Станиславович бывал в школе, она старалась одеваться как можно ярче и экстравагантнсй. Однажды она пришла в пунцово-красной юбке из какой-то очень блестящей синтетики. Впрочем, юбкой это можно было назвать лишь символически. Класс изумленно охнул. Нижняя часть Маши Школьниковой особым изяществом не отличалась. Один лишь Пашков, влюбленный в Школьникову, вполне искренне восхитился:

— Ну, ты, Машка, даешь! Все прямо наружу!

— Много ты понимаешь! — подбоченилась Школьникова. — Это просто теперь моя длина и мой стиль.

С той поры прозвище Моя Длина прочно прилипло к Маше. Правда, звали ее так за глаза. Школьникова обладала крепким телосложением и могла с ходу врезать.

Сейчас она с осуждением поглядела на Катю и Таню:

— Чем шептаться, лучше бы подумали, как тестирование пройти.

— Можно подумать, ее тесты волнуют! — бестактно захохотал Марат. — Зря стараешься! К Андрею тебе все равно не подъехать! Хоть за всю школу тестирование пройди!

— У, гад! — замахнулась на него мощной дланью Школьникова.

Марат пригнулся. Кулак Школьниковой, просвистев в воздухе, угодил мелкому Темычу в плечо. Тот взвыл от боли.

— Поосторожней нельзя?

— А ты, шмакодявка, не суйся, — огрызнулась разъяренная Школьникова. — А то вообще пришибу ненароком. Хотя, — хмыкнула она, — тебя вроде уже пришибли.

Темыч, обиженно засопев, отошел в сторону. Моя Длина в таком состоянии и впрямь могла нанести окружающим серьезные травмы. А ему было достаточно фанатов «Динамо» на питерском стадионе. Здоровяк Ахметов тоже предпочел быстренько ретироваться в школу.

— Ничего. Я этому «новому русскому» потом врежу, — потрясла кулаком в воздухе Моя Длина.

— Давай лучше я ему врежу, — с поистине рыцарской отвагой предложил Пашков, которого Ахметов мог раздавить одной левой.

— Сиди тихо, ребенок, и не вмешивайся, — не оценила его порыв Моя Длина. — Сама разберусь.

Пашков тяжело вздохнул. Его многолетние попытки обратить на себя внимание Моей Длины пока проходили, можно сказать, впустую. Для Школьниковой существовал лишь один мужчина в мире — Андрей Станиславович.

— Так чего с тестами-то будем делать? — повторила Моя Длина.

— Сдавать, — солидно ответил Темыч. — Чего же еще с ними делать. — Впрочем, уверенность его сейчас была напускной. О том, что части класса велели за выходные подготовиться к тестированию, Темыч и четверо его друзей вспомнили только сейчас.

Это было общегородское тестирование, в котором принимали участие все московские школы. В каждой из них методом компьютерного отбора определялось по нескольку учеников из третьих, девятых и одиннадцатых классов. Они должны были сдавать что-то вроде экзамена по основным дисциплинам. Далее данные испытаний обрабатывались компьютером. А потом на их основании комиссия делала вывод о качестве обучения в той или иной школе. Проводилось мероприятие третий год подряд, и каждый раз в нем участвовали разные классы.

Узнав, что выбор пал на девятые классы, педагоги две тысячи первой не на шутку встревожились. Особенно сильная паника охватила директора Михаила Петровича и его заместителя по административно-хозяйственной части Арсения Владимировича. Дело в том, что по результатам прошлогоднего тестирования закрыли один из лицеев, который находился неподалеку от две тысячи первой. Конечно, две тысячи первая была на неплохом счету. Однако от неожиданностей никто не застрахован. Особенно, когда дело касается девятого «В», который, по словам Михаила Петровича, «являлся коллективом непредсказуемым».

Едва узнав о предстоящем испытании, директор и заместитель держали перед девятым «В» пламенные речи. Михаил Петрович в своем выступлении сделал акцент на чести школы, которую следует отстоять во что бы то ни стало. Арсений Владимирович, как бывший кадровый офицер, был по-военному краток. Предстоящее мероприятие он уподобил «генеральному сражению за жизнь родной школы» и, в заключение крикнув зычным командирским голосом: «Вперед! Ни пяди земли врагу!» — удалился напутствовать третьи и одиннадцатые классы.

Андрей Станиславович тоже не дремал. Оставив на прошлой неделе ребят после уроков, он попросту объяснил, что если они подкачают, то им в дальнейшем придется иметь дело с другим классным руководителем. Ибо он, Андрей Станиславович, такого позора не переживет и тут же сложит с себя полномочия. Это произвело на бурное содружество «В» сильное впечатление. Андрея любил весь класс.

В свои тридцать пять лет классный руководитель девятого «В» был моложав, строен, носил длинную пышную шевелюру и одевался, по большей части, не иначе как в джинсы. Кроме того, он ездил на подержанном мотоцикле «Харли Дэвидсон». Постоянно покупал модные диски и с удовольствием давал их переписывать всему своему классу. И обладал еще множеством других замечательных качеств, которые позволили Лешке Пашкову еще в пятом классе сказать, что Андрей у них — «крутой мужик».

Учителем Андрей Станиславович стал не совсем обычным путем. После десятого класса он мечтал заняться классической филологией, но на вступительных экзаменах в университет провалился. Зато попал в армию. И не просто, а прямиком в Афганистан. Там как раз тогда только что началась война. Андрей Станиславович умудрился пройти ее без единого ранения. Впечатлений, однако, вынес достаточно.

Вернувшись в Москву, бывший десантник Андрей Пирогов твердо решил: если и есть смысл что-то делать дальше, то он должен учить детей. И не чему-нибудь, а истории. Поэтому, окончив педагогический институт, он пришел работать в школу номер две тысячи один, где сам когда-то учился.

Выбор места работы преследовал тайную цель. В этой же школе преподавала математику бывшая одноклассница Андрея Станиславовича — Светлана. На исходе десятого класса у них начался бурный роман. Когда же Андрей попал в армию, Светлана неожиданно вышла замуж. Теперь роман у них возник снова. Продвигался он трудно. За его развитием следила вся школа, а особенно девятый «В», которому не терпелось отпраздновать свадьбу любимого классного руководителя.

Исключение составляла только Моя Длина. Она радовалась, когда у Андрея и Светланы наступали размолвки. По мнению Школьниковой, Светлана была совершенно не парой Андрею. «Ему нужна жена умная и с положением в обществе», — говорила Машка, имея в виду себя. Мать у Моей Длины держала фирменную французскую аптеку возле Красных Ворот, а также была официальным дилером нескольких крупных парфюмерных фирм. На этом основании Машка с гордостью себя причисляла к современной российской буржуазии и мечтала составить личное счастье Андрея Станиславовича.

Едва узнав о тестировании, Моя Длина почувствовала личную ответственность за судьбу любимого учителя. Тем более что первым предметом для испытаний оказалась история. Тут Моя Длина была достаточно в себе уверена. Вообще-то она не слишком много времени уделяла учебе. Однако к урокам Андрея Станиславовича готовилась с удивительной тщательностью. Причем читала на только учебники, но и дополнительную литературу. Так что теперь у нее был шанс обратить на себя внимание Андрея. Тем более что со Светланой у него произошел какой-то затяжной конфликт.

Теперь, стоя в школьном дворе, Моя Длина кипела от возмущения. Она считала, что Компания с Большой Спасской и Пашков проявляют непростительное легкомыслие.

— Не вижу уверенности в ваших глазах, — строго взглянула она на ребят.

— Как-нибудь справимся, — тихо ответила Таня.

— И вообще без тебя обойдемся, — мрачно изрек Тема. Он все еще был обижен на Мою Длину за «шмакодявку».

— Без меня-то как раз не обойдетесь, — Школьникова извлекла из сумки сигареты и, чиркнув зажигалкой, выпустила на Темыча густую струю дыма.

— Сколько раз просил не курить рядом со мной, — возмутился тот.

— Потерпишь, — небрежно повела мощным плечом Школьникова.

Пашков тем временем тоже закурил и с надеждой покосился на Мою Длину. Когда она бывала в хорошем расположении духа, они иногда уединялись вдвоем покурить возле пристройки для младших классов.

— Пойдем, Машка, а? — зазывно произнес он.

— Некогда мне, ребенок, — немедленно лишила его надежды та. — Так вы хорошо подготовились? — вновь пристала она к Компании с Большой Спасской.

— Нормально, — проворчал Тема.

— Смотрите у меня, — угрожающе произнесла Школьникова.

Катя и Таня фыркнули. Очень уж не вязалась с Моей Длиной роль борца за академическую успеваемость.

— Зря смеетесь, — немного смутилась Машка. И, будто прочтя мысли девочек, добавила: — Я же не просто так. Речь идет о судьбе Андрюши.

— За нас можешь не беспокоиться. Справимся! — заверил Женька.

Впрочем, им с Темычем тестирование ничем особенным не грозило. Они были в группе запаса. А вот Таня, Катя, Олег и Моя Длина вошли в основной состав.

— Пойдемте, — поторопила Моя Длина. — Звонок скоро.

Возле дверей родного класса стояли Марат Ахметов и второй признанный силач девятого «В» — Боря Савушкин.

— Зря торопишься, — едва завидав Мою Длину, захохотал Ахметов. — Там, в классе, Андрей наш с такой девахой уединился...

— С кем? — оторопела Моя Длина.

— Представительница из методического кабинета, — любезно пояснил Боря Савушкин. — Потрясная гёрл. И прикид нормальный.

— Откуда у методистки нормальный прикид? — процедила сквозь зубы Моя Длина, одновременно словно бы невзначай распахнув оранжевую замшевую куртку, чтобы был виден фирменный знак «Валентино». — Это у меня прикид, — на всякий случай пояснила она. — А у этой вашей методистки все шмотки наверняка с вещевого рынка «Коньково».

— Может, ты и права, — произнес с нарочитым смирением Савушкин. — Только Андрей наш вроде запал.

— Ему как-то по барабану что «Коньково», что «Версаче», — изрек с громким хохотом Марат Ахметов.

Моя Длина явно встревожилась. Румянец разом сошел с ее пухлых щек.

— А ну, подсадите, — вмиг севшим голосом потребовала она.

И Школьникова поглядела на стеклянное окошко над дверью родного класса.

— Давай подсажу, Машка! — немедленно вызвался хилый Пашков.

— Не советую, — трезво оценил ситуацию Марат Ахметов. — Ты, Лешка, не в той весовой категории, чтобы такие тяжести поднимать.

— Это кто же тут тяжесть? — сжала мощные кулаки Моя Длина.

— Ну, не Пашков же, — уклончиво отозвался Ахметов.

— И не Темыч, — добавил Боря Савушкин.

Моей Длине очень хотелось врезать по физиономиям признанных силачей класса. Однако сейчас они ей были нужны в качестве подъемной силы. И, уняв гнев, она скомандовала:

— Подсади, Маратик!

— Это мы можем, — проявил широту натуры Ахметов. — Мне-то какая разница. Что на тренажере заниматься, что тебя подсаживать.

— Для группы плечевых мышц хорошее упражнение, — подхватил Боря Савушкин, который каждый день после уроков качался вместе с Маратом в одном спортзале.

Минуту спустя Школьникова вознеслась на плечах двух признанных силачей к застекленному окошку. Картина, представшая ей, и впрямь наводила на размышления. Возле доски стояли Андрей и какая-то стройная девица. Одета она была хоть и неброско, но явно не с рынка «Коньково». Моя Длина сразу определила: шмотки качественные. «Методистка, а туда же, — с возмущением подумала Школьникова. — Наверняка у нее какой-нибудь спонсор крутой». Однако фирменные шмотки соперницы Моя Длина бы пережила. Куда хуже было другое: наглая методистка явно положила глаз на Андрея Станиславовича. Склонившись к уху классного руководителя, она что-то ему нашептывала. Андрей очень внимательно слушал, время от времени с одобрением кивая головой.

— Шепчи, шепчи, — угрожающе пробормотала Школьникова. — Все равно скоро уберешься обратно в свой методкабинет. Вот там и ищи себе подходящую канцелярскую крысу.

— Машка! Ты там чего? — не расслышал Пашков. — Тесты какие-нибудь увидела?

— Увидела, — раздалось сверху змеиное шипение Моей Длины. — Сдает тут одна тест.

— Как? Уже сдают? — заволновался Лешка. — Чего же мы тут стоим.

— Они другое сдают, — куда лучше разобрался Ахметов в смысле слов Школьниковой.

— Как другое? — удивленно спросил Женька. — У нас же сейчас история.

— И там, в классе, своя история, — выразительно поиграл бровями Марат Ахметов. — Это Школьникова у нас все не верит.

— Все принца своего ждет, — хохотнул Боря Савушкин.

В это время не подозревающий слежки Андрей Станиславович ласково посмотрел на девушку-методистку и вдобавок одарил ее обаятельной улыбкой. А тут еще Савушкин и Ахметов со своими дурацкими шуточками! Чаша терпения Школьниковой переполнилась.

— Ну, ты! Ну, вы! — с яростью уставилась она на коротко стриженные головы Марата и Бори.

— Правда-то глаза колет! — не почувствовал угрозы Моей Длины Марат.

В следующую секунду он горько раскаялся. Машка изо всех сил заехала ему ногой в ухо. Почти одновременно та же участь постигла Савушкина. Силачи хором взвыли и покачнулись. Именно тут Андрей Станиславович резко открыл дверь класса.

Марат и Боря, и без того, практически, потерявшие равновесие, одновременно упали. Причем Марат придавил Темыча, а Боря — Пашкова. Но тяжелей всех пришлось Андрею Станиславовичу. На него с воплем «Спасите!» — приземлилась Моя Длина. Неподготовленный человек столь неожиданной атаки с воздуха, вероятно, не выдержал бы. Но за плечами классного руководителя девятого «В» как-никак стоял Афганистан. Видимо, только поэтому Андрей Станиславович смог удержаться на ногах.

Школьникова, мигом придя в себя, расценила падение на руки классного руководителя как большую удачу и отпускать его не торопилась.

— Школьникова! Перестань! — пытался отделаться от ее пылких объятий учитель.

— Ах, Андрей Станиславович! — восклицала Школьникова. — Вы спасли мне жизнь.

— Раз спас, то встань, пожалуйста, на пол, — потребовал Андрей Станиславович.

— Интересно у вас тут тестирование проходит, — раздался еще один голос.

Андрей Станиславович обернулся. Возле него стоял директор две тысячи первой школы Михаил Петрович. Его появление было столь неожиданным, что Андрей Станиславович так и замер в объятиях Моей Длины.

— Так-так, — в свою очередь изумился директор. — Я что-то забыл: у нас тестируется сегодня история или физкультура?

На Андрея Станиславовича сейчас было жалко смотреть. Очки у него съехали на кончик носа. Пшеничные усы обвисли. В глазах застыло страдание.

— Тут вот... — едва выдавил он из себя... — Девочка сверху упала.

— Сверху? — посмотрел на потолок Михаил Петрович.

Тревога его объяснялась просто. Старое здание две тысячи первой школы уже много лет нуждалось в капитальном ремонте. Денег, однако, вышестоящие организации выделяли чересчур мало. Школу титаническими усилиями приходилось ремонтировать по частям. Поэтому Михаил Петрович и его доблестный заместитель Арсений Владимирович каждый день ожидали очередной аварии. К глобальным поломкам последнего года относилась лестница, которая, по словам Михаила Петровича, «встала». То есть вообще-то она еще находилась на месте, но ее пришлось закрыть. Теперь вся школа пользовалась лишь одной лестницей, что, как однажды с присущей ему военной образностью заметил Арсений Владимирович, «значительно повышает шансы поломки последнего средства подъема преподавателей и учащихся на разные этажи здания». Вот почему сообщение об упавшей девочке повергло Михаила Петровича в ужас.

Правда, взглянув на потолок, он немного успокоился. Потолок был цел. Верней, его поверхность испещряли трещины, и довольно глубокие. Однако директор усомнился, чтобы хоть сквозь одну из них могла упасть отнюдь не худенькая Моя Длина.

— Вы говорите, она на вас сверху упала, Андрей Станиславович? — переспросил директор.

— Во всяком случае, не снизу, — успев отделаться от Моей Длины, отвечал учитель.

— Она поскользнулась! — решил спасти положение Женька.

— На потолке? — строго посмотрел на него директор.

— Не! На Ахметове! — вмешался Пашков.

— Интересно у вас получается, — стремился дойти до сути происшествия Михаил Петрович. — Значит, у вас Ахметов теперь ходит по потолку?

— Я на полу стоял, — обиженно произнес Марат.

Тут раздался спасительный звонок. Михаил Петрович, поняв, что ничего страшного не произошло, удалился.

— А ну, быстро в класс! — скомандовал учитель. — И чтобы держались на высоте.

— Ах, — томно вздохнула Моя Длина. — Мы для вас, Андрей Станиславович, даже жизнью согласны пожертвовать!

— Жизнью не надо, — стараясь не встречаться с влюбленным взглядом Школьниковой, ответил тот.

Тут в девятый «В» заглянули отобранные для тестирования ученики параллельных классов.

— Та-ак, — уткнулся в список Андрей Станиславович. — От моих остаются...

И он прочел в алфавитном порядке фамилии участников тестирования из девятого «В». В их числе оказался и Тема.

— Я же в запасе, — попытался возразить он.

— Именно так, — подтвердил Андрей Станиславович. — Наташа Ильина заболела. Вот мы, Темка, тебя и ввели в основной состав.

— Очень мило, — пробубнил себе под нос Темыч и мрачно уселся за парту.

— Кстати, что это у тебя с лицом? — Андрей Станиславович только сейчас заметил сине-зеленый фингал под глазом у Темыча.

— Бандитская пуля! — заржал Марат Ахметов. — Разборка в наилегчайшей весовой категории!

— Маленькие всегда самые драчливые, — игриво проговорила девушка-методистка. — Знаете, Андрей Станиславович, они таким образом самоутверждаются.

Темыч надулся и засопел.

— Нет, Темка наш не такой! — немедленно принялся возражать методистке Андрей Станиславович. — Ты писать-то сможешь? — заботливо посмотрел он на мальчика.

— Смогу, — с гордым видом отозвался Темыч.

Вообще-то с историей у него было все в порядке. Но одно дело отвечать, когда подготовился. И совсем другое — когда вопрос может относиться ко всему курсу с пятого по девятый классы. Тем более что прогулка в Питер изрядно травмировала Темину психику. Физическое состояние тоже не радовало. В общем, он с удовольствием бы отправился домой. Однако присутствие Кати не позволяло ему пойти на попятную. Нет, будь что будет, но он должен выдержать это испытание.

Андрей Станиславович раздал листки с заданиями и карточки для ответов. Затем представил девушку-методистку. Оказалось, что ее зовут Альбиной Васильевной.

— Очень приятно, — процедила сквозь зубы Моя Длина.

— Школьникова! — нахмурился Андрей Станиславович.

— Ничего, ничего, — прощебетала Альбина Васильевна. — Что ж поделаешь. У них сейчас возраст трудный. И девочка такая крупная...

— Не то что некоторые: кильки в томате, — едва слышно прошипела Моя Длина.

— Садитесь, Алечка, ко мне за стол, — поторопился заглушить шепот Школьниковой Андрей Станиславович.

Но слова Моей Длины все же достигли ушей Марата Ахметова, который представлял на тестировании группу отстающих учеников.

— Ну, Школьникова! Во, дает! — весело проорал он на весь класс. — Не девка, а настоящая Отелла!

Ребята грохнули. Андрей Станиславович, опустив голову, стал как-то странно дергаться.

— Отелла рассвирепела! — выкрикнул Боря Савушкин.

«Отеллу» и впрямь охватила ярость. Глаза у нее разбежались. Марат сидел в одном углу класса, а Савушкин — в другом. Врезать же Моей Длине хотелось обоим и одновременно. Еще мгновение, и она ринулась бы на кого-нибудь из обидчиков. Но Андрей Станиславович успел перехватить инициативу.

— Хватит! — треснул он по столу указкой. — У нас, по-моему, важное дело. Забыли, где находитесь?

Моя Длина нехотя опустилась за парту. Класс притих и уткнулся в листки с заданиями.

— Не теряйте времени, — напутствовал их Андрей Станиславович.

Десять минут спустя дверь класса открылась. На пороге возникла математичка Светлана.

— Андрей Станиславович, можно вас на минутку?

Классный руководитель девятого «В» повернулся к девушке-методистке:

— Вы справитесь, Алечка? Я буквально на пять минут.

— Идите, идите, — игриво проговорила та. — А я посижу с ребятами.

Андрей Станиславович удалился.

Моя Длина замечательно справилась с первыми тремя вопросами. Четвертое задание заставило ее призадуматься. В нем предлагались на выбор три варианта дат Куликовской битвы: 1101 год, 1388-й и 1849-й. Моя Длина решительно отказалась от первой и последней даты. Но и вторая вызвала у нее сомнения. Девочка была твердо уверена: Андрей Станиславович утверждал, что Куликовская битва произошла в 1380 году. В учебнике, кажется, тоже приводилась эта дата.

Моя Длина обернулась. За ней сидела Катя.

— У тебя какой вариант? — прошептала Школьникова. — С Куликовской битвой?

— Нет, — внесля ясность Катя.

— А когда она была, не помнишь?

— Нет, — ответила Катя.

— Слушай, узнай, у кого вопрос с Куликовской битвой, — взмолилась Школьникова.

— Девочки, не разговаривать, — засекла их перешептывание методистка Алечка. — Это тесты для индивидуальных ответов. Советоваться с товарищами нельзя.

— Уж с тобой-то не посоветуюсь, — шепнула Моя Длина так, что услышала только Катя. — Гусь свинье не товарищ.

Катя не удержалась и фыркнула.

— Вам сколько раз повторять! — прикрикнула методичка. — Девочка в замшевой куртке! Перестань разговаривать! Как твоя фамилия?

— Школьникова, — вынуждена была ответить Моя Длина.

— Вот видишь, девочка, какая у тебя замечательная фамилия! — воскликнула методистка. — Я на твоем месте, чтобы оправдать такую фамилию, училась бы на одни «отлично»!

— Очень умно! — пробормотала Школьникова.

— Ты со мной согласна? — обрадовалась Альбина Васильевна. — Тогда давай я тебе помогу, пока вашего учителя нет.

И она устремилась к парте Моей Длины. Ребята не ошиблись. Андрей Станиславович девушке-методистке и впрямь очень понравился. И она решила изо всех сил стараться, чтобы его класс закончил тестирование с наилучшими результатами.

Моя Длина благородства Альбины Васильевны не оценила. Помощь ей показалась унизительной подачкой от соперницы. Поэтому, когда та подошла, Моя Длина заявила, что и так все знает.

— У меня к вам только один вопрос, — сказала Школьникова. — Почему тут дата неправильная? — и она показала пальцем в четвертый пункт теста.

— Естественно, девочка, — снисходительно улыбнулась Альбина Васильевна. — Это же тест. Две даты неправильные, а одна правильная.

— Тут все три неправильные, — мстительно отвечала Моя Длина.

— Ошибаешься, девочка, — возразила методистка. — Этого не может быть. Просто ты подготовилась плохо.

— Нормально я подготовилась, — окрепла уверенность у Моей Длины. — Это тут неправильно.

— Тут не бывает неправильно, — стояла на своем методистка. — Вот скажи мне, пожалуйста, какой ответ тебе кажется ближе всех к истине?

— Второй, — с нарочитой сухостью изрекла Моя Длина. — Но он все равно неправильный.

— Учиться, девочка, надо лучше, — сказала методистка и заглянула в шпаргалку. — Верная дата числится под номером два. Ты назвала правильный ответ, — продолжала методистка. — Так и пиши: номер два.

— Но это же все равно неправильно! — крикнула Школьникова.

— Ты, девочка, пожалуйста, на меня голос не повышай! — начала выходить из себя методистка.

— А я говорю, этот ответ неправильный! — еще громче повторила Школьникова. — Куликовская битва была в 1380 году!

— Да чего ты споришь! — раздался с задней парты голос Марата Ахметова. — Далась тебе эта Куликовская битва.

— А, между прочим, Машка права, — солидно проговорил Олег, у которого оказался тот же вариант теста. — И у меня ошибочная дата указана.

— Методи-исты! — протянула с видом победительницы Моя Длина. Она поняла: наступил ее звездный час.

— Прекратить! — взвизгнула Альбина Васильевна, которая давно уже не помнила точную дату Куликовской битвы.

— А в нашем варианте 1380 год стоит, — заявил Темыч, который, к большому для себя облегчению, уже ответил на все вопросы.

У Альбины Васильевны на глаза навернулись слезы. Она уже открыла рот, чтобы дать грубиянам достойный отпор, но тут, на ее счастье, в класс вернулся Андрей Станиславович.

— Это еще что такое? — удивленно спросил он.

— Вот! — не дав сопернице произнести ни слова, вмиг оказалась Моя Длина перед любимым учителем. — Как, по-вашему, такой ответ правильный? — И она ткнула пальцем в ошибочную дату Куликовской битвы.

— Что-о? — округлились глаза у Андрея Станиславовича. — Конечно, неправильный.

— Вот вам и методисты! — патетически воскликнула Моя Длина. — Печатают неправильные даты. Мы из-за этого не сможем правильно ответить, а вам, Андрей Станиславович, потом неприятности. И все из-за таких вот специалисток! — уничтожающе поглядела она на Альбину Васильевну.

— Ах, Андрей Станиславович! — издала трагический вопль методистка и выбежала из класса.

— Зачем человека обидели? — укоряюще оглядел класс учитель. — Она-то чем виновата?

— Истории не знает. Вот чем! — торжествовала победу Школьникова.

— И вообще, — подхватил Олег. — Как нам теперь на этот вопрос отвечать?

Андрей Станиславович посоветовал указать в ответе номер два, но приписать правильную дату. Так все и сделали...

Тестирование продолжалось еще два дня. Школа, по выражению Пашкова, «стояла на ушах». Естественно, ни о какой поездке в Клин не могло быть и речи. На подготовку к тестам уходило все свободное время. Женька, правда, не был занят. Он готов был отправиться в клинское отделение милиции один, однако друзья такой план решительно отвергли.

После тестов начались каникулы. Бдительные родители пятерых юных детективов словно почувствовали, что их отпрыски что-то опять затевают. Как сговорившись, они увезли их из города отдохнуть.

Беляевы-старшие как раз должны были ехать по делам фирмы в Финляндию и взяли сына с собой. Вернулись они в последний день каникул. Едва раздевшись, Олег кинулся к телефону, чтобы позвонить Женьке и забрать у него Вульфа.

Но не успел он взять в руки трубку, как раздался звонок.

— Ты? — услышал Олег срывающийся голос Темыча.

— Как слышишь, — усмехнулся мальчик в очках.

— Слышу, — пропыхтел Темыч. — Тут... тут... такое, — продолжал он. — Я его видел!

— Кого? — не понял Олег.

— Василия Николаевича, — прошептал Тема. — Он ожил!

Глава V

ДРУЗЬЯ ТЕРЯЮТСЯ В ДОГАДКАХ

— Что? — переспросил Олег.

— Василий Николаевич ожил, — тихо, но очень отчетливо повторил Темыч. — К тебе сейчас можно?

— Лучше не стоит, — отозвался Олег. — Предки дома.

— Тогда выходи на улицу! — потребовал Темыч. — Встречаемся возле моего подъезда. Давай быстро. Я пока позвоню ребятам.

И в трубке раздались частые гудки. Олег бросился в переднюю. Не успел он, однако, зашнуровать ботинки, как в коридоре возник Борис Олегович.

— Ты куда? — строго взглянул он на сына.

— К ребятам, — медленно произнес Олег. — Темыч звонил. Говорит, в школе вывесили расписание, — принялся он сочинять на ходу. — Надо же нам выяснить, какие завтра будут уроки.

— Подождет твое расписание, — возразил Борис Олегович.

— Но мы уже договорились! — воскликнул в отчаянии Олег.

— И что тебе не сидится на месте! — возмутился Беляев-старший. — Только переступили порог родной квартиры, а его уже куда-то несет.

— Боренька! — вмешалась Нина Ивановна. — Ты, в данном случае, совершенно не прав.

— Ах, значит, я не прав! — с ходу завелся глава семейства Беляевых. — Давай, давай, перечь мужу! Распускай сына! Только потом не удивляйся, если он нас вообще слушаться перестанет!

— Боренька, он же не так просто уходит, а по делу! — стояла на своем мама Олега. — Радовался бы, что сын о занятиях думает.

— Естественно, думаю, — спешно подтвердил Олег. — Надо же мне собрать на завтра учебники.

— Кстати, и Вульфа приведи от Женьки, — вспомнила Нина Ивановна. — Воображаю, как песик обрадуется.

— Я и хотел, — отозвался Олег, который в действительности из-за Теминого звонка едва не забыл про Вульфа.

На время поездки Вульфа устроили к Женькиному отцу, который оставался в Москве. По сему поводу Борис Олегович заметил, что такая нагрузка для Васильева-старшего более чем справедлива. Ибо минувшей осенью, уехав на отдых в Анталью, Васильевы подкинули Беляевым Женьку, который, по мнению Бориса Олеговича, был куда более обременительным жильцом, нежели Вульф.

— Да. Вульфа привести действительно надо, — сменил гнев на милость Борис Олегович.

— Тогда я пошел, — поторопился выскочить в дверь Олег.

Вскоре он уже мчался вниз по Большой Спасской улице. Друзья его поджидали у поворота к собственному дому. Вульф с радостным визгом стал прыгать на хозяина. Тот, подняв пса, от избытка чувств поцеловал его в нос.

— Соскучились друг без друга, — сказала Таня.

— Отец говорит, Вульф был все время какой-то мрачный, — вмешался Женька.

— Ничего, старина, — опустил пса на землю Олег. — Теперь все позади. Мы вернулись.

Вульф в ответ шумно вздохнул. Друзья засмеялись. Затем Темыч, враз посерьезнев, сказал:

— Я вам всем уже два часа названиваю, а никого нет.

— Вы что, тоже только недавно вернулись? — поглядел Олег на Таню, Катю и Женьку.

Выяснилось, что Женька с матерью приехали всего полчаса назад. Девочки возвратились еще вчера. Они вместе с Катиной бабушкой жили у Кати на даче. Но с утра подруги отправились по магазинам.

— Ладно, рассказывай, — поторопили Тему друзья. — Что там случилось?

— Сам не пойму, — пожал плечами тот. — Василий Николаевич явился. Живой.

— Куда явился? — хором спросили остальные.

— Прямо ко мне в квартиру, — последовал ошеломляющий ответ Темыча. — То есть, — продолжал он, — вообще-то я точно не знаю. Но он Василий Николаевич. И вроде такой же самый.

— Что ты несешь? — покрутила пальцем у виска Катя. — Осложнение после травмы сказывается? Глазонька зажил, а в головке бо-бо?

— И денежки тю-тю! — захохотал Женька.

— Денежки тут ни при чем, — остался в стороне от общего веселья Темыч. — А если не хотите, могу вообще ничего не рассказывать.

— Да ладно тебе! — хлопнул его по плечу Олег. — Пошутить уж над ним нельзя.

— Шутки должны быть смешными, а не дурацкими, — свирепо покосился Темыч на Катю.

— Ах, ах, ах, какие мы стали нежненькие, — не унималась темноволосая девочка.

— А ну, прекратите! — вынужден был повысить голос Олег. — Слушай, Темка, ты можешь немного понятнее объяснить, что случилось? Давай по порядку.

— Я вот и объясняю, — снова заговорил тот. — Помните, рядом с нами квартира. Там эти жили... Ну, как их... Megaстародымовы — муж, жена и ребенок маленький.

— И что с того? — не понял Олег, куда клонит Темыч.

— Ты просил по порядку, я и рассказываю, — обиделся тот.

— Ладно, валяй, — понял Олег, что лучше его сейчас не перебивать.

— Ну, этот ребенок у Стародымовых еще жутко орал, — продолжил Темыч. — Стародымовы говорили, что сын у них нервный, потому что живет в большой тесноте. Ну, в общем, они неожиданно получили какое-то наследство. И купили квартиру побольше. А эту, которая рядом с нами, продали. Потом она долго пустая стояла. А сегодня утром мы с матерью завтракаем и телевизор смотрим. Вдруг бац — электричество вырубилось. Мы вышли на площадку. Решили, что пробки вылетели...

— У нас в подъезде они все время вылетают, — вмешалась Таня.

— Не мешай! — досадливо поморщился Темыч. — Так вот, значит, выходим, а в распределительном щитке какой-то мужик возится. Мать его спрашивает: «Вы что, электрик?» А мужик отвечает: «Нет. Я новый жилец из вот этой квартиры». И показывает на дверь Стародымовых. «А зачем электричество выключили?» — спросила мать. «Да я не выключил, оно само отключилось, — говорит новый жилец. — Теперь вот пробки свои ищу. По логике вроде эти». Тут мать на него кричать принялась. Вы же знаете, она у меня вообще нервная. А тут она как раз свой любимый сериал смотрела...

— И Темочка вместе с мамочкой тоже смотрел про мексикано-бразильскую любовь, — не удержалась от очередного выпада Катя.

— Я просто завтракал, — покраснел Темыч. — А эта бразильско-мексиканская любовь мне до лампочки.

— Ты лучше дальше рассказывай, — велел Олег.

— Ну, значит, мать возмущается. Сосед извинился. И электричество нам врубил. Потом щиток закрыл и говорит: «Теперь давайте знакомиться. Меня зовут Василий Николаевич». Тут я на него посмотрел и увидел...

— Чего ты увидел? — уже прыгал на месте от нетерпения Женька.

— Того самого, — отозвался Темыч. — Который в поезде...

— Не может быть! — воскликнул Олег. — Ты уверен?

— Почти, — кивнул Темыч. — Во всяком случае, этот очень похож на того.

— Он что, узнал тебя? — полюбопытствовал Женька.

— Не знаю, — пожал плечами Темыч. — Я так и не понял.

— Как это не понял? — изумились ребята.

— Тут одно из двух, — добавил Олег. — Либо человек с тобой знаком, либо не знаком.

— Очень, я гляжу, вы умные стали за последнее время, — сварливо проговорил Тема. — Василий Николаевич как-то странно на меня глянул и вроде бы подмигнул. У меня вообще душа в пятки. Думаю: «Сейчас матери доложит, где и как мы с ним познакомились».

— Да уж. Этого нам не надо, — заволновался обычно невозмутимый Женька. — Иначе нас больше предки ни в один поход не отпустят.

— Вот и я тоже так подумал, — согласился Тема. — И быстренько в квартиру смылся. Стою за дверью и слушаю. А мать с ним продолжает трепаться.

— Нехорошо разговоры старших подслушивать, — с притворной назидательностью проговорила Катя.

— Отстань, — поморщился Темыч. — Слушайте дальше. Я, значит, стою в квартире, а они разговаривают. Ну, мать и спросила его, где он ральше жил. А он отвечает: «В районе метро «Сходненская». Я как услышал, думаю: «Все. Приехали. Сейчас доложит матери в лучшем виде, как мы на электричке катались». Но он ничего не сказал.

— Совсем ничего? — решил уточнить Олег.

— Нет, он вообще-то сказал, что очень рад познакомиться с такой очаровательной соседкой, — внес полную ясность Темыч. — Это про мою мать. Ну, та и вернулась домой жутко довольная. «Как, — говорит, — нам повезло с новым соседом! Такой вежливый. Не то что эти Стародымовы со своим орущим ребенком». Потом мать села сериал свой досматривать. А я доедал завтрак. Пока за столом сидел, мне вдруг пришло в голову: вдруг Василий Николаевич меня не узнал. Там, в поезде, я ведь в шапке был. И глаз у меня... сами понимаете. Да и вообще мы с ним даже двух слов не сказали друг другу. Лешка с Женькой с ним в Петропавловской крепости без меня познакомились.

— Точно, — кивнул Женька. — А Темыч у нас в это время гробницы царей осматривал.

— Слушай-ка, — внимательно посмотрела Катя на Темыча. — Ты сам-то этого Василия Николаевича хорошо запомнил?

— Ну, вообще-то у меня тогда только один глаз видел, — медленно произнес Темыч. — И Василия Николаевича я особенно не разглядывал. Тем более в поезде на нем была кепка, а в коридоре он оказался наполовину лысый.

— Как это наполовину? — не поняла Таня.

— Ну, спереди у него волос кот наплакал, а возле ушей и на затылке еще полно, — пояснил Темыч.

— Может, ты все-таки перепутал? — по-прежнему не верилось Олегу в таинственное воскрешение Василия Николаевича.

— Все может, конечно, быть, — начал сдаваться Тема. — Но уж больно похож. Усы, очки, имя, отчество, бывший адрес... Все совпадает.

Тема умолк. Затем добавил:

— И роста вроде такого же. И фигуры похожи.

— А какая у него фигура? — поинтересовалась Катя.

— Да, знаешь, такая, — подыскивал слова поточнее Темыч. — Этот Василий Николаевич весь какой-то средний. Не то чтобы очень высокий, но и не очень низкий. Не толстый, но и не особо худой.

— Такого только в розыск объявлять, — усмехнулся Олег.

— Да уж, — согласились друзья. — Особых примет просто навалом.

— А Тема прав, — вступился за него Женька. — Дядя Вася таким и был.

— Почему был, если он есть? — спросил Темыч.

— Ну, ты же сам говоришь, что до конца еще не уверен, — ответила ему Таня.

— И вообще, — подхватил Женька. — Что же тогда случилось в Клину?

— А действительно, что? — прозвучал, словно эхо, вопрос Олега.

— Ну, вообще-то такое бывает, — солидно проговорил Тема. — Например, Василий Николаевич мог впасть в глубокую кому. Медицине подобные случаи широко известны.

— Опять медицина! — вздохнула Катя.

— Подожди, — строго взглянул на нее Олег.

— Или он мог заснуть летаргическим сном, — пропустив замечание Кати мимо ушей, продолжал Тема. — Некоторых в таком состоянии вообще в морг отвозят. А они потом там просыпаются. И санитары сходят с ума от страха.

— Веселая картинка, — фыркнула Катя.

— Это уж для кого как, — ответил ей Темыч. — Но вообще-то с нашим Василием Николаевичем такое вполне могло случиться.

— Точно! — издал ликующий клич Женька. — Мы дядю Васю жалели, а он ожил и ушел на своих двоих из медпункта!

Сказано это было столь громко, что несколько прохожих обернулось.

— Слушайте, — первым двинулся к Теминому подъезду Олег. — Нам надо к нему зайти. Без этого мы ничего не поймем.

— Тогда бежим! — с шумом ворвался в подъезд Женька, едва при этом не сбив с ног какого-то мужчину, который выходил на улицу.

— Погоди! — крикнул Олег.

Женька нехотя вернулся.

— Вечно вы тянете время, — с упреком произнес он.

— А с чем, интересно, ты идти к Темкиному соседу собрался? — поглядела на долговязого мальчика Таня.

— Да я к дяде Васе просто так приду, — отмахнулся Женька. — Он, знаете, какой мужик!

— А если это не он? — охладила его пыл Катя.

— Вот тогда и будем думать, — уверенно заявил Женька.

— Тогда будет поздно думать, — покачал головой Олег.

— Как знаешь, — сдался Женька.

— Кстати, мы все к нему пойдем? — повернулись к Олегу девочки.

— Нет, — с ходу отверг такой вариант мальчик в очках. — Вы погуляете с Вульфом. А мы втроем сходим. Темыч вроде бы как попросит у Василия Николаевича молоток. Если этот сосед Женьку с Темычем узнает, мы просто все дружно выразим радость по поводу того, что он не умер. А если не узнает, значит, Темыч просто перепутал.

— А я заодно взгляну на этого Василия Николаевича, — добавил Женька. — Уж я-то его хорошо запомнил.

— Естественно, лишняя проверка не помешает, — согласился с Женькой Олег. — Кстати, — повернулся он к Темычу. — Твоя мама дома?

— Ушла, — покачал головой тот. — Они с подругой Верунчиком на выставку одного модного скульптора поехали. Этот скульптор ваяет свои произведения исключительно из пивных банок. Он их как-то сначала режет, а уж потом из жестяных полос что-то там создает.

— Пускай себе создает, — остался очень доволен Олег. — Главное, что нам твоя мама не помешает, когда мы пойдем к Василию Николаевичу.

— Не помешает, — уверенно проговорил Тема. — Если уж они с Верунчиком намылились куда-нибудь вместе, то минимум часов на шесть.

— Тогда путь свободен, — обрадовались друзья.

Обсудив еще кое-какие детали, они поднялись на этаж Темыча.

— Куда звонить-то? — спросил Женька.

Темыч подошел к обитой бордовым дерматином двери и надавил на кнопку звонка. За дверью послышались птичьи трели. Затем ребята вроде бы уловили звук шагов. Потом, кажется, что-то мелькнуло в глазке. Дверь, однако, никто не открыл. Тема вновь нажал на звонок. Никакой реакции.

— Не открывает, — прошептал мальчик.

— Но там же кто-то ходил, — сказал Олег.

— И в глазке что-то шевелилось, — добавил Женька.

— А вдруг Василий Николаевич кому-нибудь разрешил посидеть в квартире. А так как хозяина нет дома, тот открывать не хочет, — продолжал Темыч.

— Все может быть, — согласился Олег. — Но вообще-то странно.

— Тем более что ближайший сосед за молотком пришел, — нарочито громко произнес Темыч. — Мне срочно гвоздь нужно вбить!

И, войдя в роль настойчивого просителя, он несколько раз подряд нажал на кнопку звонка. Дверь по-прежнему не открывали.

— Пошли, — поманил друзей к лифту Олег.

— Тише, — прижал палец к губам Тема.

Друзья послушно застыли на месте.

— Там, кажется, кто-то чихает, — прошептал Тема.

Не успел он это произнести, как дверь квартиры напротив распахнулась, и ребятам предстал еще один сосед Темы с бумажным пакетом от пылесоса в руках.

— Вы тут чего?.. А-а, это ты! — узнал он Тему. — Какие-нибудь трудности?

— Да вот. Молоток мне нужен, — совершенно автоматически воспользовался мальчик готовым предлогом.

— Вот и шел бы сразу ко мне, — любезно ответил сосед. — Там же вроде никто не живет.

— Нет. Уже живут, — возразил Темыч.

— А я даже еще и не знал, — удивился сосед с пыльным мешком. — Вот это только выкину, — потряс он мешком перед самым носом Темыча.

Тот немедленно начал чихать. Сосед, дойдя до мусоропровода, вернулся обратно с пустыми руками.

— Сейчас молоток тебе вынесу. У меня хороший. Английский. Тяжелый, — похвастался он. — Самый длинный гвоздь с двух ударов можно вогнать, куда хочешь.

И он скрылся за дверью.

— Чокнулся, что ли, Темыч? — прошептал Олег. — Таскайся теперь с этим английским молотком.

— А мы его у меня в квартире оставим, — успокоил друзей Тема.

— Вот! Держи. Вечером отдашь, — появился сосед.

Темыч поблагодарил. Любезный мужчина ушел домой. Ребята быстро закинули фирменный молоток к Темычу. Затем вернулись к девчонкам.

— Ну, что? — с любопытством спросили Катя и Таня.

— Он, кажется, был дома, но нам не открыл, — принялся объяснять Олег.

— Может, его и не было, — перебил Женька. — Но шаги вроде слышались. И в дверном глазке что-то мелькнуло.

— А вы хорошо разглядели? — поинтересовалась Катя.

— Кто его знает, — уже не был так уверен Темыч.

— Говорил же, в Клин надо было сразу ехать! — горестно воскликнул Женька.

— Чего теперь-то расстраиваться, — ответил Олег. — Раз ваш дядя Вася тут поселился, то никуда от нас не денется.

— А если это не он, в Клин поедем? — упорствовал Женька.

— Когда разберемся, тогда и решим, — уклончиво отозвался Олег.

— Если он вам действительно не открыл, — почти шепотом проговорила Таня, — это может значить только одно — он узнал и Женьку, и Темыча.

— Дядя Вася мне обязательно бы открыл, — не согласился с ней Женька.

— Вот я и говорю, — продолжала Таня, — если не открыл, значит, по каким-то причинам не хочет признаваться, что вы с ним уже виделись.

— Почему? — не доходило до Женьки.

— Ну, этому может быть много причин, — вмешался Олег. — Вдруг он, например, сказал жене, что у него командировка куда-нибудь в Омск. А сам решил прокатиться в Питер.

— У Василия Николаевича жены нет, — заявил вдруг Темыч.

— Ты что, документы у него спрашивал? — внимательно посмотрел на друга Олег.

— Документов не спрашивал. Но матери он вроде бы объяснил, что будет тут жить один.

— Это еще ничего не значит, — возразила Катя. — Вдруг он эту квартиру себе купил для работы? А жена у него живет в другом месте.

— Нет. Не для работы, — вновь возразил Темыч. — Он все время в этой квартире жить собирается. И никакой жены у него, по-моему, нет.

— Почему ты так уверен? — спросил Олег.

— Сам не знаю, — немного подумав, честно признался Тема. — Но просто у Василия Николаевича какой-то вид не семейный.

— У которого Василия Николаевича? — решила выяснить Таня.

— У обоих, — на сей раз очень уверенно произнес Темыч. — Какие-то они оба немного запущенные. Или один и тот же запущенный.

— Ладно. С семьей потом разберемся, — сказал Олег. — Если, конечно, понадобится. Сейчас самое главное определить, действительно ли это тот самый человек, с которым вы познакомились в Питере?

— Говорю же: в Клин надо ехать! — вновь принялся за свое Женька.

— Не суетись, — отвечал Олег.

— Тише, — прижала палец к губам Катя. — Темкина мать идет.

Ребята проследили за взглядом девочки. От поворота с Большой Спасской, прижав к уху трубку сотового телефона, медленно шла по направлению к собственному дому Надежда Васильевна.

— Алло! Верунчик, ты меня слышишь? — громко кричала она в трубку. — Очень хорошая выставка! И такие люди пришли! Мне больше всего понравилась композиция с Джордано Бруно. Очень миленькое сочетание цветов.

Настала пауза. Видимо, теперь впечатления от выставки высказывала закадычная подруга Верунчик. Затем вновь раздалось восклицание Теминой мамы:

— Повтори, Верунчик, пожалуйста! Опять этот треск проклятый! Поговорить спокойно нельзя!

Тут к дому с Большой Спасской свернул красный «Мерседес». Надежда Васильевна его не замечала, она как раз принялась доказывать закадычной подруге, что им обоим необходимо приобрести хоть по одному пиво-баночному творению модного скульптора.

Водитель машины был вынужден воспользоваться сигналом. Надежда Васильевна отпрыгнула в сторону.

— Ну, никакой жизни нет! — пропустив «Мерседес», пожаловалась она Верунчику. — Кстати, что-то я Ниночку давно не видела. Ты случайно не знаешь, как там у нее с итальянцем?

Надежда Васильевна уже почти вплотную приблизилась к Компании с Большой Спасской. Однако она была настолько увлечена разговором, что даже не заметила ребят.

— Бросил? — вдруг возопила мама Темыча с такой силой, что ребята вздрогнули. — Джованни бросил Ниночку? Какой кошмар!

Катя фыркнула. Темыч стал красным, как хорошо проваренный рак.

— Мама! — почел он за лучшее поскорее привлечь внимание Надежды Васильевны.

Та, наконец, заметила родного сына.

— Ты? — с таким удивлением воззрилась она на Темыча, словно он в этот момент должен был находиться по крайней мере на другом конце света. — Нет, нет, Верунчик, — вновь обратилась Темина мама к сотовому телефону. — Это я не тебе. Тут просто Темочка случайно оказался. Наверное, хочет кушать.

— Ничего я не хочу, — возразил сын.

— Почему же тогда ты меня ждешь на улице? — осведомилась Надежда Васильевна.

— Я не тебя жду. Мы гуляем, — объяснил Тема.

— Ну, тогда все в порядке, — успокоилась Надежда Васильевна. — Верунчик, ты меня слушаешь? Так что у Нинульки случилось с Джованни? Такая теплая пара была! Кто бы мог подумать!

И она скрылась в подъезде.

— А говорил, мать не скоро вернется, — осуждающе произнес Женька.

— Я что ей, сторож? — огрызнулся Темыч. — Обычно они с Верунчиком на целый день пропадают.

— Все равно мы Василия Николаевича не застали дома, — сказал Олег.

— Да уж, — вздохнули остальные.

— Говорю вам: в Клин надо ехать! — словно заело Женьку.

— Отстань ты со своим Клином! — не выдержала Катя.

— Мое дело предложить, — миролюбиво улыбнулся Женька.

— А чего там у Ниночки с Джованни произошло? — ехидно покосилась Катя на Темыча.

Тот от обиды закусил губу.

— Зря отмалчиваешься, — хмыкнула Катя. — Обожаю такие любовные сериалы из жизни.

— Глупость все это, — проворчал Темыч. — Плевать мне на эту Ниночку.

— Ай-я-яй! Какой черствый мальчик! — хорошо разыграла возмущение Катя. — У бедной женщины брак с итальянцем распался, а ему наплевать.

— Не будет в следующий раз гоняться за иностранцами, — назидательно произнес Темыч.

— Слушайте, — призвал Тему и Катю к порядку Олег. — Мы делом будем заниматься или Нинульку с Джованни обсуждать?

— Делом! — немедленно выкрикнул Женька. — Только ведь дяди Васи все равно дома нету.

— Может, к Пашкову сходим? — предложил Олег.

— Ты что, думаешь, дядя Вася пошел к нему в гости? — усмехнулась Катя.

— Нет, он не мог, — на полном серьезе откликнулся Женька. — Мы ему адресов своих не оставляли.

Остальные засмеялись. Олег первым двинулся вверх по Спасской. Пашков жил на Садовом Кольце. По замыслу Олега, нужно было взять Лешку с собой и еще раз наведаться к Василию Николаевичу. Однако Пашкова дома не оказалось. Дверь ребятам открыла многострадальная бабушка. Выяснилось, что ей совершенно неизвестно, куда девались оба брата. С полной определенностью она сказала лишь одно: Лешка и Сашок удалились пару часов назад в неизвестном направлении, зачем-то прихватив с собой ведро. Из-за этого бабушка до их прихода не может вымыть пол в кухне.

— Теперь вообще никогда не вымоет, — прошептал Темыч за спиной у Олега. — Эти двое ес ли уж что-нибудь из дома уволокут, то пиши — пропало.

Девочки тем временем очень вежливо распрощались с пашковской бабушкой. Та пригласила их заходить еще. А если, по счастью, ребята где-нибудь столкнутся с Лешенькой и Сашенькой, добавила на прощание старушка, то пусть скажут им, что бабушке очень нужно ведро. После этого дверь Пашковых захлопнулась.

— Увидит она свое ведро, — уже в лифте повторил Темыч. — Держи карман шире.

— Я тоже сомневаюсь, — на сей раз согласилась с ним Катя. — Думаю, милые братики уже начинили бабушкино ведерочко самодельной взрывчаточкой.

— И это ведерочко, — тихим голосом подхватила Таня, — сейчас уже летит на какую-нибудь Луну.

— Бери дальше, — расхохотался Олег. — Братья Пашковы на мелочь не размениваются. Уж если запустили, то на Юпитер.

— Или на созвездие альфа Центавра, — сказал обожавший фантастику Женька.

— Знаете что, — предположила Катя. — Думаю, эти двое должны быть где-нибудь неподалеку.

— Пошли искать, — обрадовался Женька.

— Куда? — задумчиво произнес Олег.

— Сейчас прохожих поспрашиваем, не рвануло ли где? — вмешался Темыч.

— Хорошая мысль, — весело засмеялись остальные.

Они двинулись сперва на школьный двор. Затем посетили еще несколько близлежащих дворов, где часто проводили время братья Пашковы.

Однако следов присутствия Лешки и Сашка нигде не обнаружилось. Ничего катастрофического в микрорайоне тоже вроде бы не произошло.

— Вечно с Лешкой так, — наконец проворчал Темыч. — Когда не нужен, не отделаешься. А как приспичит, он словно сквозь землю проваливается.

— Наверное, Лешка и Сашок вместе с ведром улетели на свою Центавру! — засмеялся Женька.

— Уж не знаю, на какую там Центавру, но ведра точно уже в живых нет, — с пророческим видом изрек Темыч.

Они для порядка еще какое-то время поискали братьев Пашковых, но это успеха не принесло. Тогда ребята, подойдя к Темкиному подъезду, произвели еще одну проверку квартиры Василия Николаевича. Звонить ему в дверь они не рискнули. Надежда Васильевна могла их засечь. Поэтому Олег воспользовался домофоном. Но на настойчивые сигналы никто не отозвался.

— Похоже, там и впрямь никого нет, — сказал после третьей попытки Олег.

— Или он зачем-то скрывается, — добавил недоверчивый Темыч.

— Это мы завтра выясним, — принял решение Олег. — А теперь пора расходиться. Я ведь предкам сказал, что только сбегаю выяснить расписание. И Вульфа заберу у Женьки. В общем, до завтра. Увидимся в школе.

И, таща за собой на поводке пса, Олег устремился к дому...

На следующее утро друзья столкнулись перед началом уроков с Пашковым.

— Ну, что ведро, цело? — немедленно полюбопытствовала Катя.

— Ведро? — удивился Лешка.

— Бабушкино, — уточнил Темыч. — Она его очень ждала.

— Ах, это, — поморщился Лешка. — Неудачный эксперимент.

— Какой эксперимент? — с интересом уставился Женька на Пашкова.

— Неважно, — явно не хотел вдаваться в подробности тот. — Долго рассказывать.

— Ясненько, ясненько, — хмыкнула Катя. — Жертв много?

— Нет, — покачал головой Лешка. — Только на чьем-то «Кадиллаке» крыша немного попортилась.

— А ведро? — тут же спросил хозяйственный Темыч.

— Там осталось, — указал пальцем куда-то в сторону Пашков. — Понимаете, хозяин «Кадиллака» вышел, и у него целых два вот таких охранника, — широко развел руки в стороны Лешка. — Ну, нам с Сашком пришлось срочно эвакуироваться.

— Так сказать, от греха подальше, — вмешалась Катя.

— Тут уж ничего не поделаешь, — встал Темыч на сторону Лешки. — Иначе его отцу опять бы пришлось...

Он не договорил. Всем, однако, и так было ясно, что пришлось бы делать Пашкову-старшему, не унеси вовремя его неугомонные сыновья ноги от испорченного «Кадиллака». Знаменитый нейрохирург Пашков-старший и без того уже в этом году заплатил большой штраф за «испытание» сыновьями лифта в собственном подъезде. Затем пришлось, по милости Лешки, компенсировать стоимость испорченных очистных сооружений в бассейне, где сдавали нормы по плаванию учащиеся девятого «В». Третьего крупного штрафа предок, по мнению Лешки, не пережил бы. Вернее, Лешку волновала собственная судьба. Крутой «Кадиллак» — это будет почище каких-то бассейнов и лифтов.

— В общем, у Лешеньки опять неудача, — сказала Катя.

— Рассчитали с Сашком все точно, — очень серьезно ответил Пашков. — Если бы еще ветер дул куда надо... А, — снова махнул он рукой. — Чего прошлое вспоминать.

Лешка и впрямь никогда не зацикливался на неудачах. Его творческая натура рвалась к новым достижениям.

— А вы-то чего меня вчера искали? — посмотрел он на пятерых друзей.

— Да вот Темыч говорит, что ваш дядя Вася ожил, — отозвался Олег.

— Как ожил? — разинул рот Лешка. — Мы же сами... сами в Клину его видели...

— Я тоже так думал, — был очень горд всеобщим вниманием Темыч. — А он мало того, что живой, так еще к нам на лестничную площадку переехал и в соседней квартире поселился.

— Чего же с ним было? — продолжал изумляться Лешка. — Ты его спрашивал?

— Нет, — покачал головой Темыч.

— Ну, ты у нас отмороженный, — с осуждением покачал головой Пашков. — Почему же не выяснил?

— Обстоятельства не позволили, — многозначительно произнес Темыч. — А главное, — понизил он голос, — я так и не понял, узнал меня Василий Николаевич или нет.

Лешка снова разинул рот.

— Может, ты его с кем-нибудь спутал?

— Потому тебя и искали, — вступил в разговор Олег. — Надо пойти и всем вместе на него взглянуть.

— Тогда пошли! — нетерпелось Пашкову своими глазами увидеть живого Василия Николаевича.

— Куда ты сейчас пойдешь? — спросила Таня. — Первым уроком у нас история.

— Тогда со второго смоемся, — предложил Пашков.

— А вторым у нас что? — спросили ребята.

— Литература, — отозвался Пашков. — Прогулять Романа — самое милое дело.

— Я не могу, — побледнел Темыч. — Меня Роман сегодня спрашивать будет. Забыли, что он мне дал спецзадание на каникулы? Десять стихотворений Лермонтова и Пушкина.

— И ты их все выучил? — внимательно поглядела на него Катя.

— Я учил, — угрюмо произнес Темыч. — Но теперь они у меня в голове как-то путаются. Так что придется вам помогать мне с мест. Книги я захватил.

И в качестве доказательства он извлек из кожаного рюкзака два толстенных тома.

— Поймите, ребята, — повторил Темыч. — Без вас мне не справиться. Без вас я пропал.

— Не робей, поможем! — ободряюще хлопнул его по плечу Пашков. — У меня же аналитический ум. Сейчас на истории обмозгую, как тебе лучше подсказывать.

Тут из школы послышался звонок. Друзья побежали штурмовать раздевалку.

— Значит, с Темычем дело уладим, — пробиваясь сквозь толпу учеников, говорил Пашков. — А потом навестим все вместе Василия Николаевича.

— Именно так, — согласились пятеро друзей.

Глава VI

МУКИ ТВОРЧЕСТВА

Урок истории прошел спокойно. Андрей Станиславович на сей раз остался своими питомцами доволен. Усмехнувшись в пшеничные усы, он заметил, что, если бы каждый раз ему удавалось довести тему до конца, было бы просто здорово. Моя Длина, томно вздохнув, ответила, что весь класс будет очень стараться. А Марат Ахметов ей посоветовал говорить в следующий раз за себя, а других не трогать. Школьникова хотела вступить с ним в дискуссию, но тут урок кончился.

Пятеро юных детективов и Пашков немедленно отправились к своему любимому подоконнику на лестничной площадке.

— Ну? — с надеждой поглядел Темыч на Пашкова. — Говори, что будем делать.

— Спокуха, — рубанул ребром ладони воздух Лешка. — С Пашковым не пропадете. Есть гениальный план.

— Живы останемся? — насмешливо спросила Катя.

Темыч, который всегда с большой опаской относился к проектам Пашкова, на сей раз, как утопающий, был рад и соломинке.

— Не мешай ему, — строго одернул он Катю.

— Мне-то что, — пожала плечами девочка. — Тебе пропадать.

— Не бойся, Темыч, не пропадешь! — воодушевленно воскликнул Лешка. — План у меня простой, безопасный и гениальный. Будем использовать сочетание суфлерской техники с пантомимой.

— Это как? — хором спросили друзья.

— Ну, я, например, буду показывать жестами, что происходит в стихотворении, — начал объяснять Лешка. — А кому-нибудь из вас надо шептать текст, как суфлеры делают в театре.

— Но у нас же всего по одной книге, — спохватился Темыч.

— Срочно в библиотеку! — распорядился Пашков.

Друзья, сорвавшись с места, кинулись на третий этаж в библиотеку. По счастью, она оказалась открыта.

— Нам одного Лермонтова и одного Пушкина! — проорал прямо от двери Женька.

— Тише, мальчик, — нахмурилась пожилая библиотекарша. — Вам, наверное, нужно «Героя нашего времени» и «Капитанскую дочку»?

— Ни фига! — выпалил Женька. — Наройте нам стихов! И побольше!

— Ну и лексикончик, — поморщилась библиотекарша.

— Скорее! — взмолился Темыч. — У нас урок.

— Заранее нужно заботиться, если хочешь хорошо учиться, — не удержалась от нравоучения библиотекарша.

— Если вы прямо сейчас ему Пушкина с Лермонтовым не дадите, он двойку схватит, — сказал Пашков.

Библиотекарша вошла в положение Темыча, и вскоре он стал счастливым обладателем двух точно таких же фолиантов, как притащил из дома.

Друзья побежали назад. Женька вызвался быть суфлером. Он сказал, что у него «громкий шепот», что для такого случая очень подходит.

— Самое главное, — за полторы минуты до звонка давал последние напутствия друзьям Лешка, — ты, Женька, шепчи так, чтобы Роман не услышал.

— Как же он может не услышать? — не понимал Женька.

— От Романа рукой закроешься, а шепот направишь в сторону Темыча, — растолковал ему Лешка.

— А ты зачем, в таком случае? — удивились остальные.

— Чтобы Темычу было понятней, — с чувством большого внутреннего превосходства проговорил Лешка. — Если он не расслышит, то увидит.

Тут раздался звонок.

— Пошли, — поторопил Олег. — Не будем лишний раз злить Романа опозданием.

Они вбежали в класс и спешно расселись по партам. И почти тут же в дверях возник высокий и толстый пожилой учитель Роман Иванович. В две тысячи первой он преподавал с незапамятных времен. И успел привить многим поколениям выпускников этой школы стойкую неприязнь к литературным произведениям, которые входили в программу. Даже у Андрея Станиславовича однажды случайно вырвалось: «Роман вообще-то мужик неплохой, но кого хотите изведет своим занудством». Правда, классный руководитель девятого «В» немедленно спохватился и сказал, что шутит, однако подопечные ему не поверили.

К этому стоит еще добавить, что начинал славную педагогическую деятельность Роман Иванович в Суворовском училище. С той далекой поры он стал стойким приверженцем «железной дисциплины», которую неизменно пытался внедрить на своих уроках. Вот почему схватить у Романа двойку считалось подлинным бедствием. Учитель не успокаивался, пока ученик не сдаст именно ту тему, на которой потерпел неудачу.

Больше всех от этого страдал Темыч. При всей начитанности, он очень плохо запоминал стихи. И почти каждое стихотворение, которое Роман задавал выучить наизусть, выливалось для несчастного Темыча в мучительную полосу пересдач. Как раз перед весенними каникулами он едва справился с отрывками из «Евгения Онегина». Поставив, наконец, Теме четверку, Роман Иванович заявил, что считает своим долгом «способствовать развитию у Мартынова навыков запоминания великой русской поэзии». Темыч в глубине души полагал, что никакой необходимости в подобном развитии нет. Однако спорить с Романом не решился. А потому получил от того на каникулы задание выучить пять стихотворений Пушкина и столько же Лермонтова.

— Уверен, Мартынов, ты справишься, — ободрил его под конец старый учитель. — Не совсем же ты безнадежный.

И вот каникулы кончились. Настал час расплаты. Роман Иванович бодрой походкой прошествовал к доске.

— Ну, — оглядел он класс. — Отдохнули. Теперь пора и за дело приняться.

Темыч спрятался за широкую Женькину спину. «Хоть бы Роман про меня забыл», — пронеслось в голове у несчастного. Однако надежды у Темыча было мало. В свои преклонные годы Роман Иванович умудрился сохранить светлую голову и блестящую память.

— Так, так, — прогудел он густым басом. — Полагаю, урок мы начнем с того, что попросим отчитаться Мартынова. Он, видите ли, по моей большой просьбе, нам к сегодняшнему дню подготовил сюрприз.

— Какой сюрприз? — крикнул с места Марат Ахметов.

— Встать! — гаркнул Роман Иванович.

Марат послушно поднялся на ноги.

— Ты что, не знаешь, Ахметов, что выкрикивать с места во время урока не полагается?

— Разве, Роман Иванович? — тут же встряла Моя Длина, которая никогда не возражала против того, чтобы сорвать очередной урок литературы.

— И ты встань! — велел ей Роман Иванович.

«Может, он все-таки про меня забудет?» — вновь затеплилась надежда в душе у Темыча.

Роман Иванович, похоже, действительно переключился на Ахметова и Школьникову. Лысина его, обрамленная седыми вьющимися волосами, покраснела. Однако, вопреки чаяниям Темыча, вступать в длительную дискуссию учитель с нарушителями спокойствия не стал.

— Сядьте, — коротко распорядился он. — И ведите себя как следует. А Мартынова, — повернулся он к Теме, — попросим пройти к доске.

— Попух наш Темыч! — закричал Ахметов.

Но Роман Иванович на сей раз даже ухом не повел.

— Так, Мартынов, — смерил он пытливым взглядом приковылявшего на негнущихся ногах к доске Темыча. — С чего ты хотел бы начать?

Темыч едва не ответил, что ему вообще не хочется начинать. Ибо еще на пути от парты к доске он понял, что все выученные стихотворения напрочь улетучились из памяти.

— Ну, Мартынов? — вновь обратился к нему учитель. — Неужели не выучил?

— Я учил, — твердо ответил Тема.

— Тогда говори, с чего начнешь.

— С чего хотите, — заявил от отчаяния Темыч.

— Я бы хотел услышать от тебя знаменитого «Беглеца», — выспренне произнес учитель.

— «Беглеца» так «Беглеца», — ничего не оставалось, как согласиться Темычу.

Набрав побольше воздуха в легкие, он жалобно посмотрел сначала на Женьку, затем на Пашкова. Те принялись бурно искать по закладкам «Беглеца». Причем оба подсказчика искали это стихотворение одновременно и у Лермонтова, и у Пушкина. Женька при этом мысленно проклинал «подлого Романа», который, «будь он добрее», мог бы по крайней мере назвать вместе с заглавием и автора! Наконец, текст «Беглеца» отыскался. Женька, прикрывшись рукой от учителя, воодушевленно шепнул:

Гарун бежал быстрее лани.

До Темыча донеслось следующее: «Горбун бежал быстрее Вани». «Какой горбун?» — в ужасе подумал мальчик и в панике поглядел на Пашкова. Тот, скорчив зверскую рожу, почему-то пожал плечами, затем изобразил руками, будто бы у него растет нос, потом сделал вид, что куда-то торопится, и, наконец, обрисовал ладонью в воздухе нечто вроде горба.

Темыч принялся лихорадочно совмещать в мозгу видео- и аудиоряды. Все вроде бы совпадало. У Женьки «бежал» и у Пашкова кто-то бежит. Горбун тоже и там и там. Темыч, конечно, никакого горбуна у Лермонтова что-то не запомнил. «Но, видимо, он все же в стихотворении был», — подумалось мальчику. Открытым оставался вопрос с Ваней и длинным носом, наличие которого у неясного пока Вани продолжал многократно подчеркивать Пашков.

— Да не волнуйся ты так, Мартынов! — подбодрил учитель. — Начинай!

Темыч перевел взгляд на Романа Ивановича, и в его голове мигом всплыла первая строчка другого стихотворения Лермонтова: «Собранье зол его стихия». Он даже уже открыл рот, чтобы эту строчку с выражением продекламировать. Но, словно бы вопреки своей воле, произнес:

Горбун бежал быстрее Вани!

В классе повисла тишина. Часть девятого «В» просто решила, что именно так «Беглец» и начинается. Они ждали продолжения и удивлялись, почему Темыч медлит со следующей строкой. Остальные в ужасе разинули рты. Пашков сперва схватился за голову, затем покрутил пальцем возле виска, после чего вновь показал Темычу длинный нос и большой горб.

Роман Иванович, похоже, на некоторое время утратил дар речи. Лишь меняющийся цвет лица свидетельствовал, что внутри старого учителя проистекают какие-то бурные процессы. Лицо и лысина литератора сперва покраснели, затем приобрели угрожающий лиловый оттенок. Наконец, плотно сомкнутые губы Романа Ивановича разжались, и он произнес всего два слова:

— А дальше?

Темыч к этому времени впал в окончательный ступор. Сил у него хватило лишь на то, чтобы перевести отчаянный взгляд с Романа Ивановича на Женьку. Однако от долговязого друга пользы сейчас было немного. Женька, уткнувшись в однотомник Лермонтова, сотрясался от беззвучного хохота. Теперь оставалась надежда лишь на Пашкова. Тот не подкачал. Оскалив верхние зубы, Лешка скосил глаза к переносице, затем изобразил руками длинные уши и под конец этими же руками начал размахивать как крыльями.

«Напоминает курицу на насесте, — лихорадочно суммировал информацию Темыч. — Только при чем тут зубы? Ага! Понял. Это мутант».

— Дальше, — чуть громче прежнего проговорил Роман Иванович.

— Роман Иванович, я сейчас вспомню, — пылко пообещал Тема. — Там что-то с мутантом связано.

— Какой мутант? Какой Ваня? — грянул Роман Иванович.

— Ну, такой. С длинным носом, — вяло откликнулся Тема.

В классе уже начиналась истерика. Теперь даже Марату Ахмстову сделалось ясно, что Темыч читал не «Беглеца» Лермонтова. Хохот учеников перекрывал вопли, наконец окончательно вышедшего из себя Романа Ивановича. Отчетливо слышал учителя один лишь Тема. Впрочем, тот именно к нему и обращался. Заявив, что за долгую педагогическую практику его до такой степени нс оскорблял еще ни один ученик, литератор поставил Теме в журнал единицу, добавив, что клятвенно обещает вывести ему единицу в году, если на следующей же неделе не будут сданы все десять стихотворений.

Темыч с минуту молча глядел на разгневанного учителя. Затем у него словно бы что-то щелкнуло в голове, и он, к немалому своему удивлению, вдруг без запинки продекламировал:

Гарун бежал быстрее лани,
Быстрей, чем заяц от орла.
Бежал он в страхе с поля брани,
Где кровь черкасская текла...

— Прекратить! — рявкнул басом Роман Иванович. — Я думал, Мартынов, ты просто не выучил, а теперь выясняется, что ты издеваешься над великой русской поэзией!

— Я не издеваюсь, — пытался оправдаться Темыч.

— В таком случае, как прикажешь это назвать? — неистовствовал Роман Иванович.

— Не знаю, — жалобно пробормотал Тема. — У меня что-то с памятью.

— Если с памятью, будем исправлять, — сурово произнес учитель. — Выучишь не десять, а пятнадцать стихотворений.

И он с ходу велел добавить Темычу в список еще пяток очень длинных стихов Лермонтова.

Мальчик вне себя от горя направился за свою парту. Едва досидев до конца урока, он предъявил законные претензии как Женьке, так и Пашкову. Причем по логике Темыча выходило, что оба они вели себя безобразно.

— Я старался, — возражал ему Пашков. — А если ты язык мимики и жеста плохо понимаешь, то никто, кроме тебя, не виноват.

— Ах, язык мимики и жеста! — перехватило дыхание у Темыча. — Тогда, может, ты мне объяснишь, что должен был означать этот твой дурацкий нос?

— Тут только тупой не поймет, — ничуть не растерялся Пашков. — Гарун ведь лицо кавказской национальности. Вот я тебе и показал жестами.

— И вообще, Темочка, чем других упрекать, лучше бы выучил стихотворение, — встряла Катя.

— Я выучил, — сварливо проговорил Темыч. — Просто они мне неправильно подсказывали, вот у меня в голове все и перемешалось.

— Вот, Женька, — с видом оскорбленной добродетели произнес Пашков. — Мы же с тобой еще и виноваты.

Тут Женька, вспомнив, как Пашков языком мимики и жеста изображал зайца, зашелся от нового приступа хохота.

— А ты вообще полный подлец! — накинулся на него Темыч. — Я от него жду подсказки, а он уткнулся в книгу и ржет!

— Что же поделаешь, если смешно? — ничуть не смутился Женька. — Если бы я сказал, что в «Беглеце» у Лермонтова мутанты описаны, ты тоже бы начал ржать.

На это у Темыча не нашлось возражений.

— Ладно, что было, то прошло, — сказал Олег. — Теперь давайте договоримся, как будем действовать после уроков.

Но обсуждение этой проблемы пришлось отложить. Перемена кончилась. Друзья поспешили на математику.

Как в природе после грозы и бурь воцаряется тишина, так и остаток учебного дня для девятого «В» прошел на редкость спокойно. Лишь один Темыч никак не мог оправиться от потрясения. Да Женька, глядя на рассерженную физиономию Темыча, вдруг словно бы ни с того ни с сего разражался хохотом. Впрочем, на двух последних уроках и он успокоился.

Компания с Большой Спасской училась в математической группе повышенной сложности. Вела ее Светлана Сергеевна. Строила она уроки так, чтобы ни единой минуты не пропало даром. Кроме того, из-за Андрея Станиславовича девятый «В» относился к Светлане с большим уважением, и математикой все занимались всерьез. Поэтому даже Темыч на двух последних алгебрах несколько отвлекся от литературных страданий. Когда Компания с Большой Спасской, наконец, покинула школу, Тема уже пришел во вполне сносное расположение духа.

— Ну? — подбежал на улице к пятерым друзьям Пашков. — Пошли, что ли, к Василию Николаевичу?

— Сперва надо с Вульфом погулять, — отозвался Олег.

— И пожрать нужно! — крикнул вечно голодный Женька. — Не могу я на пустой желудок с дядей Васей разговаривать!

— Тем более энергии сколько истратил, — покачала головой Катя. — Темочке нашему так хорошо подсказывал.

— Слушай, ты не буди во мне зверя! — набычился Темыч.

— Действительно, Катька, лучше не надо, — торопливо проговорил Женька.

— И вообще лучше думать о деле, а не обо всякой ерунде, — добавил Пашков.

— Тебе бы пятнадцать стихотворений выучить наизусть, — снова помрачнел Темыч.

— Да хватит волноваться, — растянулся рот до ушей у Пашкова. — Самое худшее для тебя уже позади.

— Сомневаюсь, — фыркнула Катя. — Самое худшее будет, когда Темочке наш Роман Иванович поставит годовую единицу. И мамочка с папочкой Темочку накажут.

— Ты... Ты... — зашелся от возмущения Темыч.

— Не боись, — хлопнул его по плечу Пашков. — У нас с братаном Сашком методика разработана по запоминанию любых текстов. Я тебя потом научу. Будешь учить стихи — словно орешки щелкать.

— Или «Кадиллаки» ломать, — не удержалась от колкости Катя.

— При чем тут «Кадиллаки»? — совершенно искренне удивился Лешка. — Вам уже было сказано: ветер подул не в ту сторону.

— Фиг с ним, с ветром, — вмешался Олег. — Быстро гуляем с Вульфом. Потом за дело.

— Может, Василия Николаевича еще дома нет, — предположила Катя.

— Будем справляться по домофону, — ответил ей Женька.

— Правильно, — поддержал Олег. — Как нам ответят, поднимемся.

— А похавать? — вспомнил Женька.

— Господи! Он когда-нибудь, интересно, наестся? — страдальчески закатила глаза Катя.

— Наемся, когда поем, — ответил ей Женька.

— Вообще-то, логично, — усмехнулся Олег.

— Давай я ему у тебя бутерброд сделаю, — предложила Таня. — Иначе он нас самих, чего доброго, слопает.

— Я сам могу сделать! — хищно загорелись глаза у Женьки. — Так даже лучше, пожалуй, будет. А то ты, Танька, колбасу слишком тонко режешь. Я, лично, бутерброды люблю посолидней.

Остальные засмеялись.

— Ладно. Тогда вы ждите нас тут, — уже открыл ключом дверь подъезда Олег. — А мы с Женькой поднимемся.

Они удалились. Правда, друзья их ждали недолго. Через пару минут дверь подъезда распахнулась. Теме, Кате и Тане предстал радостный Вульф и не менее радостный Женька, который держал в руках громадный бутерброд с колбасой. Точнее, это была добрая половина белого батона, на которую Женька не пожалел колбасы.

— А где Пашков? — спросил с полным ртом Женька.

— Побежал в домофон вашему дяде Васе звонить, — пояснила Таня.

— Мог бы и нас подождать, — поморщился Олег.

— Мы ему то же самое говорили, — отозвались девочки. — Но он объяснил, что, во-первых, не хочет терять времени. Во-вторых, ему нужно лично послушать голос Василия Николаевича.

— У Лешки, видите ли, слух абсолютный, — подхватила Катя. — И он сразу по голосу сможет определить, тот это или не тот Василий Николаевич.

— А если он Лешке не ответит, — добавил Темыч, — то Лешка нам скажет, и мы все пока можем пойти пообедать. А после опять Василию Николаевичу в домофон позвонить.

— В общем-то он прав, — подвел итог Олег.

Тут во дворе возник запыхавшийся Лешка.

— Отвечает! — выкрикнул он на ходу.

— Бежим! — запихнув в рот последний кусок великанского бутерброда, проорал Женька.

— А Вульф? — поглядел на друзей Олег.

— Вульфа с собой, — порекомендовал Пашков. — Собакам только польза, если они лишний раз побегают.

— Уговорил, — уже возился с поводком Олег. Быстро пристегнув Вульфа, он первым бросился к воротам.

Добежав до угла Портняжного, друзья ринулись мимо гостиницы «Волга» вниз по Большой Спасской. Вульф пытался остановиться возле каких-то интересных, по его мнению, кустов и углов. Олег неумолимо тянул его вперед. Дошло до того, что обычно молчаливый Вульф несколько раз возмущенно тявкнул. Он совершенно не видел смысла в такой прогулке.

Вот и длинный блочный дом. Добежав до четвертого подъезда, ребята ворвались внутрь. Грузовой лифт оказался на первом этаже. Влетев в него, друзья стали подниматься на этаж Темыча.

— Чего говорить-то ему будем? — решил на всякий случай уточнить Тема.

— Проси опять молоток, — не любил создавать лишних сложностей Женька.

— Не буду, — воспротивился Тема. — У меня и так уже один до сих пор лежит.

— А на фига нам вообще что-то просить? — не понял Пашков.

— В таком случае, зачем мы к нему явимся? — посмотрел на него в упор Олег.

— Просто так, что ли, нельзя навестить соседа? — продолжал Лешка.

— Вы бы к нему еще всем девятым «В» заявились, — прыснула Катя.

— Да, да, — подхватила Таня. — Вроде бы наш класс берет шефство надо всеми новоселами микрорайона.

— А если серьезно, то мы уже приехали, — с осуждением поглядел на друзей Олег. Впрочем, и ему в голову ничего путного не приходило. — Ладно, на месте сообразим, — шепнул он ребятам, и они высыпали из лифта на лестничную площадку.

Подобравшись к обитой бордовым дерматином двери, они в нерешительности остановились.

— Чего замерли? — первым нарушил молчание Пашков.

Затем он решительно надавил на звонок. Из квартиры отчетливо донеслись птичьи трели. Пашков прижал ухо к бордовой обивке.

— Ничего не слышно, — чуть погодя прошептал он.

Они еще раз позвонили. Вновь тишина.

— Слушай, Лешка, а по домофону ты туда попал? — посмотрели на него юные детективы.

— Два раза подряд звонил, — принялся объяснять Пашков. — Он меня спрашивает: «Кто там?» Я молчу. Он начал ругаться. Я опять молчу...

— Голос-то хоть похож на нашего дядю Васю? — поинтересовался Женька.

— Поймешь по этому домофону, — с безнадежным видом махнул рукою Пашков. — Там такой треск стоит...

— А говорил, слух абсолютный, — с издевкой произнесла Катя.

Пашков хотел ей ответить, но тут отворилась дверь Теминой квартиры. На пороге возникла Надежда Васильевна с трубкой радиотелефона. Вид у Теминой мамы был рассерженный.

— Что тут еще за шум? — осведомилась она. — Сейчас милицию вызову!

— Это мы, мама! — поспешил внести ясность Темыч.

— Ты? — обрадовалась Надежда Васильевна. — А я думала, какие-то хулиганы.

— Нет, это ребята меня домой провожали, — ответил Темыч.

— Ладно, — посмотрел на друзей Олег. — Тогда расходимся по домам обедать. А через час я вас жду у себя.

Все, кроме Темыча, погрузились в лифт. Перед тем, как двери захлопнулись, до ребят донесся бодрый голос Надежды Васильевны:

— Алло, Верунчик! Ты меня слышишь? Ничего страшного! Это просто Темочка пообедать пришел. Покормлю его, а потом созвонимся. Тогда и поговорим как следует!

Вернувшись домой, Олег первым делом покормил Вульфа. Затем, внимательно поглядев на картошку и отбивные, заботливо оставленные матерью на плите, решил ни того ни другого не разогревать. Он положил холодный обед на тарелку, густо полил сверху кетчупом и жадно накинулся на еду.

Утолив первый голод, он начал обдумывать странное происшествие. Скорее всего Темычу просто показалось, что его сосед тот же человек, с которым они столкнулись в электричке. Тем более что, судя по словам трех друзей, особых примет, исключая усы и очки, у Василия Николаевича не наблюдалось. Среднего роста. Средней упитанности. Средней лысости. Среднего возраста... Да таких в Москве сколько угодно. А если взять в российских масштабах, то еще больше. Но если Темычу не показалось...

Додумать Олег не успел. Раздался звонок телефона.

— Только что выносил помойку в мусоропровод, — послышался в трубке взволнованный голос Темыча. — Василий Николаевич там.

— В мусоропроводе? — не понял Олег.

— Очень умно, — проворчал Темыч. — Он дома. А я сейчас бегу к тебе.

— Давай, — ответил Олег. — А я пока остальным позвоню.

Вскоре все собрались у него. Последним явился Женька. Он что-то дожевывал на ходу.

— Пошли, — едва увидав его, скомандовал Олег.

Остальных уговаривать не пришлось. Они спешно вышли на улицу и снова направились вниз по Спасской. Однако их снова ждало разочарование. В квартире Василия Николаевича опять никого не оказалось.

— Надо было не взад-вперед бегать, — назидательно произнес Темыч. — А тут его сторожить. Я бы караулил, а вы бы пока подошли.

— Чего ж ты мне сам по телефону сказал, что ко мне идешь, — отчетливо вспомнил Олег.

— Не подумал, — признался Темыч. — Откуда мне знать, что он снова куда-то намылится.

— А может, Темочке нашему вообще все кажется? — высказала предположение Катя. — А на самом деле никакого Василия Николаевича и нет.

— Как это нет? — возмутился Темыч. — Я что, по-вашему, сумасшедший?

— После того, как у тебя сегодня на литературе горбун с каким-то Ваней по горам носились, меня, лично, ничего не удивит, — ответила Катя.

У Темыча от обиды на глаза навернулись слезы.

— Дура! — громко произнес он.

Тут дверь его собственной квартиры распахнулась. На пороге опять возникла Надежда Васильевна с радиотелефоном.

— Здравствуйте! — воскликнули хором ребята. — Тема дома?

При этом Олег предусмотрительно закрыл собственным телом Темыча.

— Подожди, Верунчик, — досадливо поморщившись, проговорила в трубку Надежда Васильевна. — Тут ребята к Темочке пришли. Сегодня совершенно невозможный день. Все время нас с тобой что-нибудь прерывает. Вы к Темочке? — обратилась она к стоящим на площадке. — А он, Олежка, к тебе недавно ушел.

— Спасибо, — вежливо отозвался Олег. — Пойдем тогда его искать. Значит, мы разминулись.

— Ищите, — кивнула Надежда Васильевна. — Верунчик! Теперь я тебя внимательно слушаю. Что удалось узнать про Джованни? Какой негодяй!

Дальнейшего о вероломном Джованни ребятам услышать было не суждено. Дверь захлопнулась.

— Быстро вниз! — прошептал Олег. — Иначе мы, чувствую, сегодня допрыгаемся.

Они спустились во двор.

— Давайте его тут подождем, — подал идею Женька. — Когда-нибудь ведь он должен вернуться.

— А если он до завтра уехал? — повернулась к долговязому мальчику Таня.

— До завтра, конечно, нам не подходит, — согласился Женька. — И вообще, я давно говорю: в Клин надо съездить!

— Только этого еще не хватало, — сказал Тема. — Приедем туда. В милиции как-нибудь разберутся, что мы назвались не своими именами. Тут и начнется. Мало не покажется. Даже Лешкин «Кадиллак» по сравнению с этим — сущая ерунда.

Остальные задумались. К этому времени они уже успели прошагать добрую половину Большой Спасской.

— Он! — прошептал вдруг Темыч.

— Кто, кто? — подпрыгнул от неожиданности Женька.

— Где? — не мигая, смотрела Таня на Темыча.

— Возле киоска, — одними губами проговорил тот. — Видите, банку с пивом открывает.

— Так, — принял на себя командование Олег. — Сейчас все подходим к киоску. Я покупаю жвачку, — извлек он из кармана деньги. Ты, Темыч, окликаешь Василия Николаевича. А Пашков и Женька начинают мозолить ему глаза. Посмотрим, узнает он их или нет.

Друзья бодрым шагом приблизились к киоску. Сосед Темыча уже отхлебывал пиво из банки. Олег, нагнувшись к продавцу, громко потребовал:

— «Стиморол». Мятный.

— Василий Николаевич! — почти одновременно с Олегом воскликнул Тема. Сосед обернулся.

— Тема! — с улыбкой ответил он мальчику. — Гуляешь?

И он сделал солидный глоток из банки.

— Гуляю. С друзьями, — указал Темыч на Пашкова и Женьку. — Это мои одноклассники.

— Будем знакомы, — улыбнулся и им Василий Николаевич. — Хорошая у тебя компания.

— А мы разве с вами нигде не встречались? — не сводя глаз с Василия Николаевича, спросил Женька.

— Кто знает, кто знает, — неопределенно ответил тот и вдруг заговорщицки подмигнул мальчикам.

— Вот я и говорю, — предпринял еще одну попытку Женька. — По-моему, я вас знаю.

— Меня многие знают, — опять уклонился от прямого ответа загадочный собеседник. — Ладно, ребята. Дела не ждут. Еще увидимся.

Он выбросил в урну опорожненную банку, затем повернулся к Темычу:

— Ну, сосед, до встречи.

И он быстрым шагом двинулся по направлению к Садовому Кольцу. Друзья проводили его изумленными взглядами.

— Ну? — поглядел Олег на Женьку с Пашковым. — Он?

— Он! — выкрикнул Женька.

— Не он! — ответил Пашков.

— А я говорю, он, — настаивал Женька. — Куртка точно такая же!

— Не он, — повторил Пашков. — Очки, усы и куртка совпадают, а голос другой.

— Может, он простудился, — предположил Темыч. — И вообще после того, что в Клину с ним случилось, голос мог измениться.

— А по-моему, он говорит точно так же, как и тогда, — возразил Женька.

— Нет, не так, — настаивал Пашков.

— По-моему, важнее другое, — задумчиво произнес Олег. — Он ведь вас не узнал.

— А мне показалось, узнал, — придерживался иной точки зрения Женька. — Видели, как он нам подмигивал.

— Чего же не сказал прямо? — засомневался Темыч.

— А может, ему сейчас было нельзя? — вопросительно поглядела на друзей Таня.

— А чего скрывать-то, — не понимал Лешка. — В электричке, пожалуйста. В Питере — тоже. А тут вдруг нельзя.

— А если он сейчас на задании? — продолжала Таня.

— На каком еще задании? — полюбопытствовали остальные.

— Мало ли, — пожала плечами светловолосая девочка. — Кто-то что-то такое ему поручил, чему мы можем помешать.

— А действительно! — хлопнул себя по лбу Олег. — Тогда ведь все сходится.

— Что сходится? — подскочил к нему Женька, который терялся в догадках, почему дядя Вася его не признал. — Говори быстро. Я уже не могу.

— Женечка у нас вечно не может, — вздохнула Катя.

— Слушайте, — покосился на продавца в киоске Олег. — Давайте-ка отойдем.

Они пересекли Большую Спасскую и, пройдя за магазин, устроились в сквере. Лавочки были пусты.

— Ну! — плюхнулся с размаху на одну из них Женька. — Давай, Олег, не томи!

Олег никого томить и не собирался.

— Значит, так, — сняв и снова надев очки, медленно начал он. — Ваш дядя Вася вдруг появляется у Темыча на лестничной площадке. Но ничем не показывает, что Темку знает. Теперь он подмигивает Пашкову и Женьке, но тоже вроде бы на встречу с ними не реагирует. А когда ты, Женька, начал впрямую к нему приставать, он тоже повел себя не совсем обычно. Кажется, проще всего ему было тебе ответить: «Не знаю я вас, ребята. Вы меня с кем-то путаете». Но ведь он этого не сделал.

— Он сказал: «Меня многие знают», — подхватил Пашков.

— Вот именно, — кивнул Олег.

— Может, он этим намекнул, что не хочет сейчас говорить с ребятами?

— Мне тоже так кажется, — согласилась Таня.

— Ерунда, — снова принялся возражать Пашков. — Тот, с которым мы в электричке ехали, был очень открытый мужик.

— Открытый! Закрытый! — выпалил Женька. — До меня только сейчас дошло! Родинка! И у того, и у другого! Одинаковая! Возле уха!

Глава VII

СТРАННЫЙ СОСЕД

— Родинка возле уха была, — подтвердил вдруг Темыч.

— У кого? — спросили остальные.

— У того, кто в щитке на лестничной площадке возился, — отвечал Темыч.

— А в поезде? — спросила Таня.

— В поезде у меня глаз болел. Поэтому я того Василия Николаевича особенно не разглядывал.

— Зато я хорошо разглядел дядю Васю! — Женька вспугнул громким криком бродящую по скверу ворону. — У него точно такая же родинка возле уха была!

— А возле какого уха у того, из поезда, была родинка? — решила уточнить Катя.

— Возле этого, — ткнул себя Женька в левое ухо.

— И у этого возле этого, — зачем-то предварительно ощупав собственные уши, подтвердил маленький щуплый Темыч.

— Главное, как наш Темочка стал в последнее время выражаться понятно, — с иронией произнесла Катя. — У этого возле этого...

— Да, Темыч! — захохотал Женька. — Ты прямо как горбун с Ваней.

— Благотворное влияние поэзии Лермонтова, — в свою очередь развеселился Пашков.

— Ты лучше бы вспомнил, была ли родинка у Василия Николаевича в электричке, — насупился Темыч.

— Родинку я не заметил, — честно признался Лешка. — А вот нос у того Василия Николаевича, по-моему, был другой.

— То есть? — повернулся Олег к Лешке.

— Ну, я точно сказать не могу, — продолжал Пашков. — Но мне кажется, что носы у них не похожи.

— Так не бывает, — вскочил от волнения со скамейки Женька. — Родинка на месте. Возле того же самого уха. А носы, видите ли, разные. Дурак ты, Пашков!

— Ничего не дурак, — спокойно ответил Лешка. — Вообще-то, может быть, я по поводу носа и ошибаюсь. Мне еще надо подумать.

— Вообще-то нос — дело сложное, — сказала Таня. — Например, в электричке у Василия Николаевича мог быть насморк. Вот нос и распух.

— Именно что, — перебил ее Тема. — И вообще, я все уже знаю, — обвел он победоносным взглядом друзей. — Это не один человек. Это два брата-близнеца. Один тут. А другого уже, наверное, похоронили, — мрачно добавил он.

— Замечательная версия, — вдруг согнулась пополам от приступа смеха Катя. — Два близнеца. И обоих зовут Вас... Вас... — никак не могла выговорить она.

Тут захохотали и остальные. Даже Темыч, поняв в чем дело, не выдержал и засмеялся.

— Ну, у тебя сегодня голова, — хлопнул Олег по плечу Тему. — Как компьютер с вирусом. Два близнеца... И обоих папа с мамой назвали одинаково... — отсмеявшись, Олег, наконец, смог договорить прерванную фразу: — Назвали одинаково, чтобы учителям в школе было приятнее.

— Я бы на вашем месте не тратил времени даром, — Темыч счел, что веселье по поводу его версии чересчур затянулось. — Лучше бы занялись делом.

— А какое особенное дело? — с разочарованным видом спросил Олег.

— Ну, как же! — воскликнул Женька. — Он нас узнал, а не признается.

— А вдруг не узнал, — осенила догадка Олега. — Вдруг у него после приступа провал в памяти случился.

— Такое бывает. Некоторые потом всю жизнь не могут вспомнить, кто они такие.

— Этот, похоже, помнит, — возразила Таня.

— А про нас и про электричку мог забыть, — солидно изрек Темыч.

— С провалами в памяти у нашего Темочки богатый личный опыт, — не унималась Катя.

— По-моему, сейчас у тебя провал в памяти будет! — сжав кулаки, двинулся к ней Тема.

— А ну, перестаньте! — прикрикнул на них Олег.

Темыч вернулся на скамейку.

— В общем, так, — продолжал мальчик в очках. — Если это действительно один и тот же человек, то вроде бы нам тут и делать нечего. Ну, не хочет он вас узнавать. Мало ли какие у него на это причины.

— Выходит, все зря? — разочарованно вытянулось лицо у Женьки.

— Что зря? — переспросили друзья.

— Ну, нам же казалось, что тут какая-то тайна, — скучным голосом произнес Женька.

— Тайна-то у него, может, какая-нибудь и есть, — отмахнулся Олег. — Но, думаю, тут что-то обыкновенное. Типа семейных обстоятельств. В общем, не по нашей части. Да и вообще, — посмотрел он на троих петербургских паломников, — надоела мне эта ваша поездка. Хорошо еще, что из клинской милиции никто не прорезался.

— Пошли еще погуляем, — предложила Таня.

Ребята поднялись со скамьи и побрели в сторону Сухаревки.

Часа полтора спустя Темыч вернулся домой. Настроение у него было скверное. Единица по литературе и необходимость ее исправления омрачали ближайшие жизненные перспективы. Отворив дверь квартиры, он собирался незаметно проскользнуть к себе в комнату, когда вдруг услыхал из кухни оживленный голос матери:

— Темочка, это ты?

— Я, — мрачно изрек сын.

— А у нас тут гость! — с еще большим воодушевлением воскликнула Надежда Васильевна. — Наш новый сосед зашел к нам на чашку чая.

— Хорошо, — односложно ответил Темыч. «Только его тут и не хватало для моего полного счастья, — добавил он про себя. — Если этот Василий Николаевич доложит матери о нашей поездке, я вообще сегодняшний день не переживу».

Быстро сняв куртку, Тема решил проконтролировать, что делается в кухне. Василий Николаевич и впрямь пил чай. Мать была очень оживлена. Забытый радиотелефон валялся на подоконнике.

— Ну, сосед, как дела? — улыбнулся Василий Николаевич.

— Нормально, — последовал короткий ответ Темыча.

— Молодец, — неизвестно за что удостоил мальчика похвалы гость.

— Темочка! Тебе налить чайку? — предложила мать.

— Я уже пил у Олега, — торопливо отказался Темыч. — Лучше пойду уроки делать.

— Узнаю себя в твоем возрасте, — вновь одобрил его Василий Николаевич. — Я тоже старался от уроков как можно быстрее отделаться.

— Ну, я пошел, — двинулся в направлении собственной комнаты Тема.

Возле двери мальчик обернулся на гостя. Тот заговорщицки ему подмигнул. «Опять! — пронеслось в голове у Темы. — Чего это он расподмигивался? Кажется, он про Питер помнит. Неужели понял, что я не хочу ставить в известность предков?»

Зайдя в комнату, Темыч оставил дверь открытой. Голоса из кухни сюда доносились достаточно явственно. Надежда Васильевна была человеком крайне общительным. И больше всего на свете обожала новые знакомства. Поэтому говорила, почти не умолкая. Василию Николаевичу пока удавалось лишь вставлять короткие реплики типа «да», «нет», «подумать только!», «не может быть!» и «потрясающе!».

Последняя реплика относилась к рассказу Надежды Васильевны о посещении вернисажа пиво-баночного скульптора. Василий Николаевич даже поинтересовался, полные банки или пустые использует этот замечательный скульптор для своих творений. Затем разговор перешел на искусство вообще. Темыч, измученный тяжелым днем, уже начал клевать носом, когда мать вдруг спросила соседа:

— А в Питере вы, конечно, бывали? Мы с мужем, Темочкиным отцом, первый раз туда ездили на медовый месяц! Ах, белые ночи! Ах, Эрмитаж! И площади великолепные! А набережная Фонтанки!..

Темыч напрягся: «Дернуло же ее заговорить о Питере! Сейчас Василий Николаевич расскажет, где мы с ним познакомились!» И тут, словно нарочно, мать снова спросила:

— А вы, Василий Николаевич, давно в этом чудесном городе были в последний раз?

«Ну, все!» — приготовился к самому худшему Темыч.

— В Питере? — громко переспросил гость. — Знаете, — замялся он. — К своему стыду, за всю жизнь так пока и не удалось там побывать. Все дела, дела. Работа. А командировки у нас на Урал да на Север.

— А, если не секрет, где вы работаете? — кокетливо осведомилась Надежда Васильевна.

— Начинал по снабжению, — последовало не слишком ясное объяснение гостя. — А теперь, так сказать, в среднем бизнесе. Там купили, тут продали... Ну и кое-какой навар. В основном разрабатываем сырьевую базу.

«Интересно у него получается, — размышлял в своей комнате Темыч. — Почему он скрывает, что в Питере был? Или это все-таки другой человек?»

Он вновь начал прислушиваться к разговору. Но Василий Николаевич больше ничего примечательного не сказал. И вообще вскоре засобирался домой, сославшись на какие-то неотложные звонки по телефону. Надежда Васильевна ему ответила, что вообще-то ей тоже нужно срочно позвонить по телефону. После чего Василий Николаевич удалился.

— Темочка, ты уже сделал уроки? — полюбопытствовала мать.

— Делаю, — отвечал ей сын, тщательно затворяя дверь в свою комнату.

Он и впрямь быстро сделал уроки на завтра. Затем хотел поучить стихи для грядущей пересдачи, но быстро убедился, что сегодня они у него не пойдут. Тогда Темыч решил еще раз забежать к Олегу. Слова Василия Николаевича не выходили у него из головы, и хотелось с кем-нибудь поделиться.

— Мама, я к Олегу! — натягивая ботинки, крикнул мальчик. — У него моя математика осталась.

— Хорошо, — на минуту отвлекшись от телефонного разговора, ответила мать.

Темыч зашнуровал ботинки, когда соседняя дверь хлопнула. Мальчик глянул в глазок. Василий Николаевич удалялся по направлению к лифту. «Чего это он взад-вперед расхаживает целыми днями? — подумал Темыч. — Другой бы переехал и ремонтом занялся. А этот только все время куда-то бегает и, что характерно, с пустыми руками».

Схватив с вешалки куртку, мальчик выбежал на лестничную площадку. Однако загадочного соседа уже и след простыл. Темыч вызвал лифт. Двери почти тут же раскрылись. Вскоре мальчик уже был на улице. Спина Василия Николаевича маячила далеко впереди.

«Шустро он ходит, — отметил про себя мальчик. — Явно куда-то торопится». На улице уже было совсем темно. Прохожих почти не попадалось. Тема тоже прибавил шаг. «Сейчас позову по домофону Олега. Он как раз в это время с Вульфом гуляет, — принял решение Темыч. — Вот и поболтаем».

Вдруг идущий впереди Василий Николаевич резко остановился и присел на корточки, словно завязывая шнурок. Позже Темыч никак не мог объяснить, что его дернуло немедленно спрятаться за стоящим на обочине автомобилем. Однако именно так он и поступил. И почти тут же подумал: «Кажется, Василий Николаевич проверяет, нет ли за ним слежки». Выглянув украдкой из-за крыла машины, Тема поглядел туда, где только что возился со шнурками Василий Николаевич. Но того уже не было. «Ну, ни фига себе у него темпы», — подумал мальчик. В следующее мгновение, встав во весь рост, он увидал соседа. Тот уже пересек улицу и сворачивал в садик перед продовольственным магазином, который еще несколько лет назад носил звучное молдавское название «Кодры», а теперь превратился в какое-то акционерное общество, то ли открытого, то ли закрытого типа.

Темыч, мысленно хваля себя за расторопность, кинулся бегом через улицу. Его охватил азарт слежки. В темном садике оказалось пусто. Только будто какая-то тень промелькнула в узком проходе между двумя домами. Темыч устремился следом. Однако у самого прохода вдруг замер. «А если он специально меня заманивает? — с тревогой подумал он. — Там такое глухое место. Тюкнет по кумполу, и привет». Мальчик содрогнулся. Однако любопытство пересилило страх. Крадясь вдоль стены, он двинулся по проходу. Вот и сквер в Глухаревом переулке. Василий Николаевич пересек его. «В Астраханский идет», — сообразил Темыч.

Сосед и впрямь пошел по Астраханскому. Однако почти тут же резко свернул в арку. «Ага, — подумал мальчик. — Значит, ему надо к метро «Проспект Мира». Темыч тоже свернул в арку. Двор утопал во тьме. Лишь строительную площадку освещало два прожектора. Благодаря этому Темыч не упустил соседа. Тот и впрямь, кажется, направлялся проходными дворами к метро. Мальчика охватил еще больший азарт. Самым странным ему показалось, что новый в районе человек столь уверенно пользуется проходными дворами, да еще в темноте. Это лишь укрепило подозрение: Василий Николаевич опасается слежки.

На подходе к метро Темыч в панике принялся шарить по карманам. Ни жетонов, ни денег у него с собой не было. Мальчику стало очень обидно. Столько трудов потрачено совершенно зря. Сейчас Василий Николаевич уедет, и поминай, как звали.

Но сосед никуда не уехал. Василий Николаевич подошел к телефону-автомату. Темыч едва успел спрятаться за газетный киоск. Василий Николаевич снял трубку, послушал, тихо чертыхнулся и перешел к другому автомату. Против этого у Темыча возражений не было. Сосед теперь находился совсем близко от него. Значит, будет хорошо слышан весь разговор. Василий Николаевич набрал номер. Затем отчетливо произнес в трубку:

— Это я. Все готово. Проклятый телефон! — повысил он голос. — Трещит, как пулемет! Повтори-ка!

Пауза. Темыч затаил дыхание.

— Какая, говоришь, ярмарка? — вновь раздался голос Василия Николаевича. — В «Олимпийском»? Черт! Теперь гудки какие-то! Нет, я тебя слышу. Завтра? Годится. Да... Да... Да... Все.

И он повесил трубку. Выйдя из автомата, Василий Николаевич закурил и тщательно огляделся. Темыч ни жив ни мертв стоял за киоском. Он почему-то не сомневался: если Василий Николаевич сейчас его заметит, то встреча получится не особенно радостной. Во всяком случае, для него, Темыча.

Сосед, еще раз украдкой оглядевшись, выбросил недокуренную сигарету и пошел по Протопопову переулку обратно к дому. Мальчик следовал за ним по пятам. Самым удивительным и непонятным был этот звонок из автомата. Во-первых, Темыч знал, что в квартире Василия Николаевича есть телефон. Тем более что, уходя от них, сосед сослался на какие-то срочные звонки. Так что же его вдруг понесло на ночь глядя к автомату, да еще в такую даль? Даже если предположить, что у него телефон вдруг испортился, то на Большой Спасской есть целых три автомата. А он даже к ним не подходил. «Значит, — пришел к выводу Тема, — боялся засветиться. Вот и сейчас, — в который раз бросилось в глаза мальчику, — на каждом повороте озирается».

Наконец Василий Николаевич, а за ним и Тема выбрались на Большую Спасскую улицу. Мальчик остановился на углу. Он видел, как сосед входил в подъезд. Теперь, в одиночестве, Тема стал думать, как повести себя дальше. К Олегу, пожалуй, идти поздновато. Уже без двадцати десять. С Вульфом он наверняка погулял. Да и предки его дома. Еще, чего доброго, начнутся расспросы, зачем он, Тема, явился на ночь глядя. «Нет, — уже твердо решил мальчик. — С Олегом поговорим завтра. А сейчас я, пожалуй, проверю, что у Василия Николаевича с телефоном».

Вскоре Тема вошел в собственную квартиру. Мать продолжала очередную беседу по телефону. Отец разогревал себе ужин. Он всегда возвращался с работы в совершенно, по его собственному выражению, «разбитом состоянии». Поужинав, Никита Владимирович для разрядки обычно смотрел телевизор, после чего укладывался спать, чтобы утром с новыми силами включиться в борьбу за выживание.

Темыч разделся и прошел в свою комнату.

— Никита! — тут же услышал он голос матери. — У нас такой гость был сегодня!

Мать прошествовала на кухню.

— Ты уже знаешь, его зовут Василием Николаевичем, — вновь донесся до Темы ее голос. — Очень вежливый и интересный мужчина...

Дальше мальчик слушать не стал. Пользуясь случаем, что телефон свободен, он проник в комнату матери и, схватив с кровати трубку радиотелефона, еще хранившую тепло рук Надежды Васильевны, стал листать телефонную книжку. Номер Стародымовых он увидел почти сразу же. И быстро набрал его. На том конце провода немедленно подняли трубку.

— Да? — узнал Тема голос Василия Николаевича. — Говорите громче! Ничего не слышно!

Мальчик дождался, пока сосед первым положит трубку. Затем, крадучись, прошел к себе в комнату. Там он сел на кровать и, обхватив голову двумя руками, задумался. С тех пор, как они расстались с друзьями, картина резко изменилась. Теперь даже не было особенно важно, почему их не узнает Василий Николаевич. То есть, вернее, Тема отныне не сомневался, что он специально валяет дурочку, ибо вся жизнь Василия Николаевича окутана какой-то тайной. И дело тут явно не в запутанной семейной жизни, как предполагали Олег и Танька.

С кухни по-прежнему доносились голоса родителей. Темыч снова прошел в комнату матери и перенес телефон к себе. Плотно затворив дверь, он набрал номер Олега.

— Алло! — раздался в трубке голос Беляева-старшего.

— Здравствуйте, — очень вежливо проговорил Тема. — Попросите Олега, пожалуйста.

— Это невыносимо! — взревел Борис Олегович. — Каждые пять минут кто-то звонит Олегу! Я что вам, спортсмен, к телефону бегать?

— Я только первый раз, — испуганно пролепетал Темыч.

— Ты первый раз! Танька первый раз! Женька первый раз! Марат Ахметов два раза... — продолжал кипеть Борис Олегович.

— Марату-то что понадобилось? — вырвалось ненароком у Темыча.

— Мало того, что я, по вашей милости, уже полчаса не могу одну страницу журнала прочесть, — прокричал Борис Олегович, — так я еще должен исполнять при собственном сыне обязанности секретарши? Доехали! Никакого покоя в доме! Олег! Возьми трубку!

Темыч облегченно перевел дух. Кажется, гроза миновала. «Хорошо, что я не поперся к Олегу домой, — не без удовольствия отметил мальчик. — Предок у него сегодня явно не в настроении».

— Ты что, Темыч? — раздался тихий голос Олега.

— Дело есть, — важно ответил тот.

— До завтра, что ли, не мог подождать, — произнес с упреком Олег.

— Значит, не мог, — с прежней солидностью отозвался Тема. — Очень важные новости про Василия Николаевича.

— У него что, лысина исчезла? — фыркнул Олег, которому уже порядком надоели петербургские приключения троих друзей.

— Наоборот, — не разделил его веселья Темыч.

— Неужели совсем волосы вылезли? — удивился Олег.

— Да отстань ты со своими волосами, — буркнул Тема. — Лучше заткнись и слушай внимательно.

— Ну, — смирился Олег. Вообще-то он собирался позвонить Тане, поэтому перспектива длительной беседы с Темычем его не слишком вдохновляла.

Темыч же, словно не чувствуя настроения друга, стал обстоятельно излагать события сегодняшнего вечера, начиная с того момента, как расстался с ребятами.

— А покороче нельзя? — поторопил Олег.

— Если покороче, то ничего не поймешь, — возразил Тема. — Значит, я сижу в комнате. Слушаю. А мать Василию Николаевичу излагает про выставку скульптур из пив...

— Про это я уже знаю, — перебил Олег.

— Зато другого не знаешь, — ничуть не смутился Тема.

Впрочем, едва он сказал, что, по словам Василия Николаевича, тот ни разу не ездил в Питер, как Олег принялся внимательно слушать. Когда же речь пошла о странной вечерней прогулке соседа к автомату на проспекте Мира, Олег вообще на какое-то время забыл, что Таня давно ждет его звонка.

Наконец, Темыч умолк.

— Вот это да, — только и смог произнести в ответ мальчик в очках.

— Я и говорю, — был очень доволен его реакцией Темыч. — Что делать-то?

— Следить, — прошептал в трубку Олег.

— Но мы же не знаем, когда он пойдет в «Олимпийский», — ответил Темыч. — Он только сказал, что завтра.

— Та-ак, — задумчиво протянул Олег. — Книжная ярмарка в «Олимпийском» работает с девяти утра до двух.

— Как раз, когда мы в школе будем, — проворчал Темыч.

— Придется прогулять, — принял решение Олег. — Думаю, стоит того.

— Я тоже думаю, — подтвердил Темыч.

— Тогда встречаемся, как обычно, — распорядился Олег. — Только не у школы. Я подойду к вашему дому. Таню я предупрежу. Мы все равно сейчас созвонимся. Я ей велю потом сказать Катьке. А ты, Темыч, позвони Женьке. А то мой предок сегодня и так на взводе.

— Позвоню, — пообещал Темыч.

И они распрощались до завтра...

Наутро, когда Олег подошел к дому в конце Большой Спасской, друзья уже нервно переминались на углу.

— Пораньше не мог? — накинулся Женька на Олега.

— Мне что же, за два часа приходить? — невозмутимо пожал плечами тот. — Все равно ярмарка пока еще закрыта.

— Зато Женечка наш уже изнемогает, — объяснила Катя.

— Я вообще всю ночь не спал! — выкрикнул тот. — Все думал: неужели наш дядя Вася...

— Заткнись, — шикнула на него Катя.

Женька послушно умолк.

— Пошли, — поглядел Олег на часы. — Теперь как раз успеем к открытию. — И прошу тебя, Женька, — повернулся он к долговязому мальчику, — старайся поменьше болтать.

— Я постараюсь, — пообещал Женька.

— Хорошо, что Пашков за нами не увязался, — заметил Темыч уже на повороте в Грохольский переулок.

— Тем более что это дело может неизвестно чем обернуться, — был совершенно согласен с другом Олег, что без Пашкова лучше обойтись. Во всяком случае, сегодня.

В следующую секунду выяснилось, что оба явно поспешили с выводами. Не успела Компания с Большой Спасской пройти и двадцати шагов по Грохольскому переулку, как из булочной вылетел радостный Пашков. В руках он держал раскрытый пакетик с хрустящей картошкой.

— Здорово! — увидев пятерых друзей, крикнул он. — Тоже прогуливаете?

— Прогуливаем, — подтвердили ребята.

— Тогда я с вами, — решительно заявил Пашков. — Что-то сегодня в школу не хочется.

— Дай картошечки! — потянулся к пакету Женька.

— Бери, — щедро протянул ему картошку Пашков. — Пойду, пожалуй, еще куплю.

— Нам некогда, — случайно проговорился Темыч.

— А что такое? — загорелись глаза у Пашкова.

— Да тут... — хотела сочинить на ходу какую-нибудь правдоподобную историю Катя. Но было поздно.

— Думаете, не понимаю, да? — обиженно произнес Пашков. — Наверняка что-то нарыли. А от меня скрываете. Конечно, если я вам не нужен...

И, не договорив, он сделал шаг в сторону.

— Стой, Лешка! — окликнул его Олег. Обижать Пашкова ему не хотелось. Кроме того, он подумал, что лишний человек в «Олимпийском» им, возможно, не помешает. Меньше шансов упустить в столпотворении таинственного Теминого соседа.

— Тут дело такое... — украдкой переглянувшись с друзьями, начал он.

Олег и Тема, перебивая друг друга, пересказали все, что произошло вчера вечером. Так что, к тому времени, как они добрались до проспекта Мира, Пашков уже был посвящен в тайну.

— Ну, братцы, — покачал он с изумлением головой. — Вот вам и Василий Николаевич. По-моему, тут шпионажем пахнет.

— Чем тут пахнет, нам еще предстоит выяснить, — не торопился с выводами Олег.

— Лешка прав, — едва увернувшись на переходе через проспект от машины, сказал Женька. — Это типичный шпионский прием звонить из автомата подальше от дома.

Ребята благополучно пересекли проспект и скорым шагом направились к олимпийскому стадиону.

— Вот я и говорю, — тяжело дышал от волнения и быстрой ходьбы Пашков. — Из автомата этот тип куда-то звонил. И к нам зачем-то в электричке присоединился. На фига честному взрослому мужику с какими-то незнакомыми ребятами просто так заводить знакомство.

— И еще билеты предлагал за свой счет купить, — добавил Темыч. — У меня тогда сразу сердце почуяло: неспроста это.

— Ты что же думаешь, он вас вербовал? — усмехнулась Катя.

— Знаете, что, — строго взглянул на друзей Олег, — давайте оставим версии на потом.

— Действительно, — подхватила Таня. — Лучше сейчас разработать план действий.

— Главное, — поднял вверх указательный палец Олег, — во-первых, его не упустить. А во-вторых, не попасться ему на глаза. Поэтому вы, — поглядел он поочередно на Темыча, Женьку и Лешку, — старайтесь держаться от него подальше. А мы с девчонками за ним проследим.

— Положим, он вас у киоска тоже видел, — вспомнилось Теме.

— Думаю, он не запомнил, — успокоил друзей Олег. — Ведь он куда-то тогда торопился. И вряд ли вообще на нас обратил внимание.

— А потом, — вмешалась Таня. — В «Олимпийском» всегда столько народа. Будет он смотреть на каких-то незнакомых ребят. Тем более, если у него там какое-то важное дело.

— И, Лешка, прошу об одном, — очень строго посмотрел Олег на Пашкова. — Пожалуйста, обойдись без своих блестящих экспериментов.

— Какие эксперименты, — обиделся тот. — И вообще, почему на меня всех собак вешают? Проследим и уйдем. Вот дальше можно что-нибудь и придумать. Думаю, вы даже сами попросите.

— Там будет видно, — отмахнулся Олег. — Пошли.

Они двинулись вверх по эстакаде к стадиону.

— Сперва нужно купить билеты, — взял на себя руководство операцией Олег. — Надо заранее подготовиться. А то он придет, а мы за ним не успеем.

— А если не придет, — заколебался экономный Темыч. — Тогда деньги зря пропадут.

— А так наш Темочка может их положить в коробочку-копилочку и потом купить себе конфеточку, — с издевкой просюсюкала Катя.

Темыч хотел достойно ответить обидчице, но Олег его опередил:

— Насчет денег можешь не беспокоиться. Тебе вообще можно билет не брать. Дети до четырнадцати проходят без билетов.

— Но мне-то четырнадцать, — не понял Тема.

— Только об этом никто не догадается, — иронично сощурилась Катя. — Ты у контролера вообще сойдешь за двенадцатилетнего.

— Точно, Темыч! — от восторга несколько раз подпрыгнул на месте Женька. — Можешь вообще без билета туда-назад ходить, если для дела понадобится!

— Сомневаюсь, — набычился Темыч. — Думаю, контролеры тут опытные. И ребенка от старшеклассника вполне отличат.

В это время они приблизились к щитовому вагончику, в котором продавали билеты на книжную ярмарку. Темыч демонстративно извлек из кармана деньги и первым направился к окошку кассы. В такой ранний час очереди еще не было.

— Один? — спросила его кассирша.

— Да, — солидно подтвердил Темыч.

Тут кассирша случайно на него взглянула.

— А тебе, деточка, билета не надо, — ласково улыбнулась она. — Иди так.

И она сунула ему назад деньги. Ребята громко расхохотались. Темыч покраснел. Надулся. И отошел к парапету эстакады. Остальные, быстро купив билеты, подошли к нему. Олег ободряюще хлопнул Темыча по плечу.

— Не расстраивайся. Наоборот, удачно все получается. Женька прав. Будешь связным между нами. Хорошо, хоть один человек может ходить с ярмарки на улицу и обратно. Кто знает, сколько нам тут его еще ждать придется.

— Конечно, Темыч, ты сегодня будешь главным звеном операции, — сказала Катя.

Темычу это польстило. Он улыбнулся.

— Теперь распределим роли, — деловито начал Олег. — Думаю, что девчонкам лучше войти внутрь. Вход тут один, я знаю. Значит, — повернулся он к Тане и Кате, — найдете место, с которого видно всех, кто входит. Если Василий Николаевич появится, а мы его прозеваем, постарайтесь за ним проследить. Если же мы войдем вместе с ним, следуйте за мной. Лучше всего следить за ним девчонкам и мне. Кем бы ни оказался Василий Николаевич, с нами он уж точно не знаком.

— Друзья кивнули.

— А мы? — спросил Пашков.

— Вы с Женькой спрячетесь за кассой. Отсюда вход тоже хорошо просматривается. Как только он войдет, следуйте за ним, но на расстоянии. А Тема у нас будет связным. Стой возле парапета, — посмотрел Олег на Темыча, — и следи за всеми, кто поднимается по эстакаде. Как только соседа своего засечешь, сразу беги к Пашкову и Женьке.

— А где тебя найти в случае чего? — спросили у Олега трое мальчиков.

— А я с вами, — объяснил тот. — На мне проверка очереди. Если Темка вдруг Василия Николаевича не углядит, то я его замечу. Все ясно? — оглядел он команду.

— Главное, чтобы он поскорее пришел! — спешно дожевывая последние крошки хрустящего картофеля из Лешкиного пакета, воскликнул Женька.

— И ветер какой-то холодный дует, — поежился Темыч.

— И жрать охота, — снова заговорил Женька.

— Ты ведь только что завтракал, — осуждающе покачал головой Тема.

— И пашковскую картошку всю слопал, — добавила Катя.

— Картошки-то тут с гулькин нос, — отбросил в сторону пустой пакет Женька. — Зря вы ему не дали еще купить.

— Ты что, сюда есть пришел? — с упреком воззрился на него Олег. — И вообще, хватит всякую чушь пороть. Расходимся по местам.

Друзья разошлись. Как вскоре выяснилось, самая тяжелая участь постигла Катю и Таню. Сразу за дверью начинались лотки. Сперва девочки облюбовали широкий стол, на котором продавали книги для автомобилистов. Таня сделала вид, будто безумно заинтересовалась книгой, посвященной новейшим усовершенствованиям в области масляных фильтров и карбюраторов для малолитражных автомобилей. Раскрыв книгу на цветном рисунке, изображающем в разрезе цилиндр двигателя, Таня сказала Кате:

— Какая прелесть!

— Спятила, что ли? — прошептала ей на ухо Катя. — Ты бы еще трактором в разрезе любовалась.

— А что мне прикажешь делать? — одними губами ответила Таня. — На этом лотке все книги такие. А рядом, — указала она глазами на другой лоток, — еще только раскладывают.

Тут надо заметить, что посетителей на ярмарке пока почти не было. Вокруг, норовя сбить девочек с ног, туда-сюда сновали продавцы, нагруженные огромными пачками книг и баулами. Многие лотки только лишь обустраивались. Девочки были вынуждены постоянно кого-нибудь пропускать. Или отскакивать от тех, кто вез тележки, нагруженные пачками книг. В довершение всего продавщица литературы для автомобилистов начала нервничать. Сперва она словно бы невзначай спросила:

— Девочки, вам чего?

— Мы пока смотрим, — ответила Катя. — Очень интересно.

— Смотрите, смотрите, — любезно ответила продавщица.

Однако Катя и Таня чувствовали: она постоянно держит их в поле зрения. Это было не слишком приятно. Вдруг Катя заметила, что на противоположном прилавке разложили яркие журналы.

— Вот куда надо идти, — сказала она подруге.

Таня было обрадовалась и решила совместить приятное с полезным. Однако не успела Катя потянуться к журналу «Космополитен», как продавщица мрачно изрекла:

— У нас продажа без просмотра.

И, развернув кусок прозрачной пленки, она накрыла столик с журналами. Девочки вздохнули.

— Ну, что теперь будем делать? — спросила Катя, когда девочки отошли от негостеприимного прилавка.

— Остается только встать у двери, — тихо отозвалась Таня. — Будем делать вид, что кого-то ждем.

— Олегу бы так постоять, — возмущенно произнесла Катя. — У меня уже ноги отваливаются.

— Может, ему там еще труднее, — никогда не давала в обиду Олега Таня.

— Вечно ты за него заступаешься, — весьма выразительно глянула на нее подруга.

Таня промолчала. Ответить ей было нечего.

Мальчики и впрямь находились в куда более тяжелых метеорологических условиях. День, как назло, выдался исключительно промозглый. Дул холодный ветер. Вдобавок ко всему заморосил мелкий дождь. Простояв полчаса возле кассы, мальчики продрогли до костей.

— Это что же за место такое, — жаловался Темыч. — Куда ни встань, все равно со всех сторон дует.

— Терпи, — отвечал ему Олег.

— Сколько мне еще терпеть, — не унимался Тема. — Стоишь тут, стоишь. Мерзнешь, мерзнешь. А он, может, вообще не придет.

— Сам виноват, — усмехнулся Олег. — Если бы тебя вчера не дернуло за ним следить, мы бы сейчас вообще в школе сидели.

— И в буфет бы можно было пойти, — мечтательно произнес Женька.

— По-моему, ты болен, — злобно уставился на него Темыч.

— Это еще почему? — простодушно проговорил Женька.

— Когда человек все время хочет есть — это признак болезни, — сел на любимого конька Тема.

— Была бы Катька, — вмешался Пашков, — она бы сейчас тебе ответила.

— А ты не лезь не в свои дела, — мрачно уставился на него Темыч.

— Прекратите ныть, — призвал их к порядку Олег. — И без того холодно.

Тут новый порыв ветра заставил их умолкнуть. Темыч отошел к парапету.

— Олег! — почти тут же позвал он друга. — По-моему, он идет.

Олег проследил за взглядом Темыча.

— Точно! Темыч, — обратился он к мальчику. — Беги к девчонкам. Пусть там не зевают. И осторожнее. Тебе нельзя попадаться ему на глаза.

Темыч бегом устремился ко входу. Миг — и он скрылся внутри. Трое оставшихся мальчиков спрятались за вагончиком. Олег выглянул.

— Ребята, — предупредил он шепотом. — Учтите, очередь маленькая. Долго ждать не придется. Как только он подойдет ко входу, я сразу двинусь за ним. А вам надо немного выждать. Потом — за мной.

Пашков и Женька молча кивнули. Нервы у всех были напряжены до предела. Сосед Темыча прошел мимо них. Около входа протянул билет контролеру и скрылся за стеклянными дверями. Олег бросился следом за ним.

Глава VIII

ИНТЕРЕСНАЯ ПОКУПКА

Поравнявшись с девочками, Олег шепнул:

— Пошли. Держитесь рядом со мной.

— Ну, наконец-то, дождались! — нарочито громко сказала Катя.

— Тихо, — скомандовал Олег. — Зачем лишний раз привлекать внимание.

— Как раз нормально, — не согласилась с ним Таня. — Пусть все думают, что мы тут с тобой встречались.

— Неважно, — ответил Олег. — Главное, не теряйте его из вида.

Василий Николаевич медленно брел вдоль книжных рядов. Несколько раз он останавливался и, взяв какой-нибудь томик, перелистывал его. Затем шел дальше.

— Тоже мне, любитель литературы, — фыркнула Катя. — Можно подумать, он сюда пришел за книгами.

— Очень грамотно себя ведет, — тихо ответил Олег. — Если бы не Темыч, мы бы и не догадались, что Василий Николаевич сюда явился по какому-то таинственному делу.

Старательно выдерживая дистанцию, трое ребят двинулись дальше. Пройдя ряды до конца, Василий Николаевич свернул направо и спустился по лесенке этажом ниже. Там тоже были книжные ряды. Олег, чуть замешкавшись возле лестницы, быстро проговорил:

— Вы держитесь на расстоянии, но из вида меня не теряйте. А я попробую подобраться к нему вплотную.

— Осторожней, — с тревогою посмотрела на мальчика Таня.

— Ничего страшного, — улыбнулся Олег. — Глядите, сколько народа внизу толчется. Он меня в жизни не заметит. А даже если и заметит, — добавил он, — то ничего не заподозрит. Я живу в этом районе. Почему бы мне и не пойти на ярмарку.

И, подмигнув девочкам, он сбежал вниз по лестнице. Теперь Василий Николаевич несколько изменил тактику. Ловко лавируя в толпе покупателей, он решительно продвигался вперед. Чуть погодя Олегу удалось очутиться у него за спиной. Мальчик в очках оглянулся и заметил чуть позади девочек. Еще немного дальше над толпой гордо возвышалась растрепанная голова долговязого Женьки. Легко было предположить, что Темыч с Пашковым тоже находятся где-то рядом. Но их видно не было.

Убедившись в надежности тылов, Олег продолжил «плавание в кильватере» у Василия Николаевича. Впрочем, долго пропихиваться сквозь толпу не пришлось. Темин сосед остановился возле лотка, перед которым на полу тянулась красная полоса детективов из серии «Черная кошка». Василий Николаевич принялся внимательно разглядывать названия на ярких суперобложках. Затем обратился к продавцу:

— «Мужские игры» Александры Марининой есть?

Продавец очень внимательно поглядел на Василия Николаевича. Затем ответил:

— «Мужские игры» выйдут не раньше, чем через два месяца. Возьмите пока «Стилиста». Очень сильная вещь.

— Уговорили, — сказал Василий Николаевич. — Давайте две пачки. Кстати, Петр Федорович мне говорил, что вы мне отпустите с двадцатипроцентной скидкой.

— Слово Петра Федоровича для нас закон, — с большим уважением произнес продавец. — Забирайте «Стилиста».

И он протянул Василию Николаевичу стандартные упаковки книг, обернутые плотной бумагой. Сосед Темыча вытащил из кармана теплой куртки сложенную сумку и, расправив ее, аккуратно положил туда книги. Затем полез во внутренний карман, откуда извлек перетянутую резинкой пачку денег. Он, не считая, вручил ее продавцу. Тот в свою очередь тоже не стал тратить время на пересчет купюр и засунул пачку в карман. Олег, однако, успел заметить, что сумма даже на глаз была куда больше стоимости двух пачек книг. Тем более, если их уступили с двадцатипроцентной скидкой.

— А тебе, пацан, чего надо? — вдруг уставился продавец на Олега.

Вопрос застал мальчика врасплох. Однако он тут же сообразил, что рядом с «Черной кошкой» должна продаваться серия подростковых детективов «Черный котенок», которой буквально зачитывалась вся две тысячи первая школа, включая преподавателей и директора. Поэтому Олег быстро задал вопрос:

— Новый «Черный котенок» есть?

— Нет, — покачал головой продавец. — Вчера взял, вчера же и продал. Завтра должны еще подвезти. Или дальше еще по ряду пройди. Может, у кого-нибудь осталось. Хотя, — добавил продавец, — вряд ли.

Беседуя с продавцом, Олег не упускал из вида Василия Николаевича. Тот уже двигался к другой лестнице, которая вела прямо к выходу. К счастью, девочки, сориентировавшись в ситуации, уже шли за ним. Олег поспешил следом.

— Не туда, парень, — решил помочь ему продавец. — «Черный котенок» обычно, кроме меня, вон у тех ребят бывает.

И он указал в противоположную сторону.

— Спасибо, — не останавливаясь, отозвался Олег. — Я потом вернусь. Мне еще наверху надо для младшего брата «Крокодила Гену» купить.

Продавец пожал плечами и занялся следующим покупателем. Олег догнал девочек. Таня спросила шепотом:

— Будем дальше следить или как?

— Естественно, дальше, — кивнул Олег. — Надо же посмотреть, куда он это понесет. Только давайте его теперь немного вперед пропустим.

Чуть приотстав, Олег помахал Темычу, Женьке и Пашкову, которые усиленно работали локтями в толпе.

Наконец, все вышли на улицу. Василий Николаевич спустился с эстакады и направился в сторону проспекта Мира.

— Домой возвращается, — прошептал Олег друзьям.

Они чуть подотстали: теперь тем более не стоило попадаться на глаза Василию Николаевичу.

— Это мы еще посмотрим, куда он направился, — проворчал недоверчивый Темыч.

— Вот сейчас он придет домой, — начала Катя. — Распакует книжечки. И всему подъезду подарит по экземпляру.

— Ага, — подхватила Таня. — За подписью Александры Марининой.

— Кстати, — усмехнулась Катя. — Кажется, бабушка мне говорила, а она книги Марининой очень любит, что это не настоящая фамилия автора, а псевдоним. Вдруг Василий Николаевич и есть Александра Маринина и просто покупал экземпляры, чтобы дарить друзьям?

— Сейчас мы с вами договоримся до того, что Василий Николаевич на самом деле Лев Толстой, — сказал Темыч.

Ребята усмехнулись.

— И вообще, Александра Маринина все-таки женщина, — проявил неожиданную осведомленность Пашков. — У нас дома есть ее книги. Там женский портрет автора напечатан. И еще написано, что она — подполковник милиции.

— А вдруг это портрет жены Василия Николаевича? — спросил на полном серьезе Женька.

Забыв, что следят за Теминым соседом, ребята грохнули.

— Если это его жена, то наш дядя Вася, как его Женечка называет, заслан органами внутренних дел в какое-нибудь бандитское логово, — простонала Катя.

— Слушайте, — первым взял себя в руки Олег. — Если мы будем продолжать в том же духе, то он от нас сейчас уйдет.

Ребята вновь сосредоточились на слежке. Василий Николаевич, опять воспользовавшись проходными дворами, вышел на Большую Спасскую, достиг собственного дома и скрылся в подъезде. Ребята в нерешительности потоптались на месте.

— Ну, и что дальше? — посмотрел Темыч на Олега.

— Пошли ко мне, — отозвался тот. — Надо как следует все обсудить.

— Не сразу, — решительно воспротивился Женька.

— Ты чего там узрел? — заметили остальные, что он пристально смотрит на другую сторону улицы, где находится булочная.

— Они еще спрашивают! — крикнул долговязый мальчик. — Видишь, машина отъехала, — указал он пальцем на крытый фургон. — Наверняка завезли мои любимые булочки с маком и миндальные пирожные. Сейчас скинемся, всего накупим, а потом уж к Олегу. А то на голодный желудок голова не варит.

— Вот троглодит! — воскликнула Катя.

Однако и она и остальные тоже почувствовали приступ голода. Миг — и они побежали к булочной. Когда все было закуплено, Женька словно бы невзначай полюбопытствовал:

— А ты не помнишь, Олег, что тебе сегодня мать на обед оставила?

— Не знаю, — ответил тот.

— А, что бы ни оставила, — махнул рукой Женька. — Главное, побольше. Тогда...

Он вдруг осекся.

— Опять какую-нибудь еду продают? — с иронией проговорила Катя.

— Какая еда... — понизил голос Женька. — Василий Николаевич.

Тут все увидели, что по противоположной стороне улицы бодро шагает Темин сосед. Сумки с книгами у него уже не было. В левой руке он держал черный атташе-кейс.

— Кажется, к Трем вокзалам идет, — сказала Таня.

— За ним, — скомандовал Олег.

— С этим? — спросил Женька, нагруженный пакетами с булочками и пирожными.

Олег мигом сообразил, что делать.

— Держи, Танька, — протянул он девочке ключи от квартиры. — Вы с Катькой и Темычем возьмите у Женьки пакеты. Дуйте с ними ко мне. Все равно нечего за ним тащиться такой большой компанией. А мы втроем проследим.

Женька с тоскою во взоре передал пакеты Тане и Темычу.

— Смотрите, без нас не съешьте, — предостерег он.

Те, не ответив, быстро пошли вверх по улице. Олег, Лешка и Женька начали слежку за Василием Николаевичем. Тот добрался до угла Большой Спасской, свернул к кинотеатру «Перекоп» и, обогнув его, пустился по Каланчевке. Дойдя до афиши с репертуаром кинотеатра, он внезапно остановился. Олег в последний момент успел затащить друзей под крышу троллейбусной остановки. Иначе бы они непременно попались на глаза соседу Темыча. Олег осторожно выглянул наружу.

Василий Николаевич внимательно изучал афишу. Это занятие настолько его увлекло, что он даже поставил на землю кейс.

— По-моему, он в кино собрался, — шепотом сообщил ребятам Олег.

— Большой интеллектуал, — заметил Пашков. — И книги любит, и кино смотрит.

— Если бы ему в кино было надо, он бы в кассу пошел, — вмешался Женька. — Чего зря возле афиши торчать.

— А может быть, он какой-нибудь определенный фильм выбирает, — ответил Олег.

Тут к афише приблизился еще какой-то мужчина, по виду гораздо старше Василия Николаевича. До друзей донеслось его громкое брюзжание:

— Ну, времена! До чего дожили! Даже в кино посмотреть совсем нечего.

И старикан брезгливо ткнул пальцем в афишу, на которой значился фильм «Обнаженная в шляпе».

— И не говорите, — поддержал его сосед Темыча.

— Вот раньше были фильмы так фильмы, — продолжал старикан. — Посмотришь — и душа радуется. Жить сразу хотеться начинает.

Василий Николаевич что-то ответил, но ребята слов не расслышали.

— Именно, — несколько раз кивнул головой старикан. — А нынче одной Америкой пичкают.

И он смачно сплюнул в сторону.

— И еще песни раньше в фильмах очень душевные были, — продолжал он. — А сейчас... Прямо не знаю, что из наших внуков вырастет. Закурить-то у вас не найдется?

Василий Николаевич протянул старикану пачку сигарет. Затем чиркнул зажигалкой. Старикан, однако, сообщив, что ему курить вредно из-за гипертонии, прикуривать не стал. Запихнув сигарету в карман, он удалился в сторону проспекта Мира. Василий Николаевич тоже задерживаться возле афиши не стал и пошел дальше.

— Ну и маскировка у них, — с восхищением прошептал Пашков.

— Думаешь, они что-то друг другу передали? — разинул рот Женька.

— А то, — отозвался Пашков. — Классический шпионский прием. Но работа — высший класс.

— Работу потом обсудим, — вмешался Олег.

Василий Николаевич уже стоял возле светофора. Вскоре ребята поняли, что он направляется к Казанскому вокзалу.

— Неужели уезжает? — заволновался Олег.

— Тогда надо за ним рвать, — ни минуты не сомневался Женька.

— Куда? — поглядел на него Олег. — У нас с вами денег даже на электричку сейчас не хватит.

— А интересно, куда идут поезда с Казанского? — вдруг спросил Пашков.

Скоро выяснилось, что этого никто из троих не знает. Впрочем, им было сейчас не до поездов казанского направления. Василий Николаевич заметно прибавил шаг. Народу на площади было много. Ребята боялись, что Темин сосед от них улизнет.

Пробираясь сквозь жуткую толчею, Пашков вдруг сказал:

— Кажется, он идет в камеру хранения.

Так оно и оказалось на самом деле. Добравшись до автоматических ящиков, Василий Николаевич сунул в одну из ячеек атташе-кейс, поколдовал над шифром замка и захлопнул дверцу. Затем он снова направился к выходу.

Ребята неотступно следовали за ним. Потеряли они его лишь в метро «Комсомольская». Пока они покупали жетоны и спускались по эскалатору, Василий Николаевич успел уехать.

— Стоило столько мучиться, — разочарованно проговорил Пашков.

— Лучше бы еще три миндальных пирожных купили, — был согласен с ним Женька. — А так зря потратились на совершенно бесполезные жетоны.

— Наверное, ты хотел сказать «несъедобные», — усмехнулся Олег. — Ладно. Уж если мы в метро, доедем до Красных Ворот. Оттуда до моего дома ближе идти.

Так они и поступили. К их возвращению Таня успела выгулять Вульфа. Хозяйственный Темыч заварил чай. А Катя накрыла на стол.

— Ну? — разом уставились они на вошедших мальчиков.

— Или шпион, или бандит, — коротко и просто ответил Пашков.

— У них целая банда с одним дедулей, — устало выдохнул голодный Женька.

— С каким дедулей? — округлились от изумления глаза у Тани.

— Ну, он такой, — принялся объяснять Пашков. — Фильмы старые любит. И песни.

— При чем тут фильмы и песни? — словно на сумасшедшего, уставилась Таня на Пашкова.

— Сперва жрать! — решительно выкрикнул Женька и устремился к тарелке с булочками.

Остальные тоже решили не зевать. Неограниченные возможности Женькиного желудка Компании с Большой Спасской были давно известны. Поэтому каждый предусмотрительно взял по булочке и по миндальному пирожному.

— Олег, а ты еще обед обещал, — некоторое время спустя потребовал Женька.

— Ты сперва прожуй. Иначе подавишься, — заботливо посоветовал Темыч.

— Нефовда, — усиленно жуя последнее миндальное пирожное, отмахнулся Женька. — Потом делами займемся. Время не ждет.

— Обеда нету. Я вспомнил, — вынужден был разочаровать друга юный хозяин квартиры. — Мать вчера не успела приготовить.

— Совсем нет? — возмутился Женька. — Хороши у тебя предки! Голодом сына морить! А колбасы тоже нет?

— Ничего нет, — развел руками Олег. — Мать велела сварить макароны. А уж вечером они с отцом все привезут.

— Макароны? — переспросил Женька. — Вари скорей!

— Я сварю, — пошла на кухню Таня.

— А сгущенки нету? — не отставал Женька от Олега.

— Зачем она тебе? — удивился тот.

— К макаронам, — с таким видом ответил Женька, словно ничего не было лучше подобного сочетания.

— Я их обычно ем с кетчупом, — заметил Олег.

— С кетчупом тоже можно, — проявил снисхождение Женька. — Но со сгущенкой мне больше нравится.

— Гадость какая! — скривилась Катя.

— Сгущенка гадость? — изумился Женька.

— Нет, против самой сгущенки я ничего не имею, — ответила девочка. — Но с макаронами...

— А я тебе и не предлагаю, — не собирался никому навязывать своих вкусов Женька. — Мне же больше достанется.

Пока варились макароны, Олег, Женька и Лешка поделились результатами слежки. Странная беседа с пожилым любителем старых фильмов и песен, а также визит Василия Николаевича в камеру хранения крайне всех насторожили. Никто из шестерых теперь не сомневался, что Темин сосед ведет двойную жизнь.

— В лучшем случае, — подвела итог Катя, — он может оказаться и впрямь каким-нибудь агентом, которого внедрили к преступникам, а в худшем...

— Говорю же: типичный шпион, — стоял на своем Пашков. — Все эти тайные встречи, передачи сигарет, камеры хранения...

— Просто как в кино, — тихим голосом подхватила Таня.

— Кино, кино, — глянул на нее Женька. — Ты лучше мои макароны сбегай проверь.

— Сам занимайся своими макаронами, — обиделась Таня, — я тебе не домработница.

— Могу и сам, — легко согласился Женька.

Он ушел и вскоре вернулся с глубокой тарелкой, в которую доверху навалил спагетти, не забыв их густо полить сгущенкой.

— Немного не доварились, — объяснил присутствующим Женька, — но так даже вкуснее.

Пашков выхватил пальцами с тарелки спагеттину и отправил ее себе в рот.

— Вкусно, — одобрил он. — Я тоже хочу.

— Там еще осталось, — указал пальцем в сторону кухни Женька. — И остатки сгущенки можешь из банки выскрести.

Остальные брезгливо поморщились.

— Слушайте, — предложила Катя. — Давайте их на кухню отправим. А то смотреть противно на это ужасное блюдо.

— У меня от одного его вида, — поддержал ее Темыч, — кишки склеиваются.

Женька с Пашковым удалились на кухню. Впрочем, они довольно быстро пришли назад.

— Теперь можно вплотную приступать к работе, — деловито проговорил Женька.

— Спасибо, что разрешил, — усмехнулся Олег. — Мне кажется, — поглядел он на друзей, — нужно срочно решить, как мы поступим дальше.

— Я предлагаю идти к майору Василенко, — сказал Темыч. — Дело действительно очень странное.

— К Василенко мы всегда успеем, — возразил Олег. — Я бы, лично, сперва все-таки набрал побольше информации. А уж когда наберем, тогда сразу свяжемся с Владимиром Ивановичем. Мне кажется, — принялся задумчиво теребить дужку очков Олег, — самое главное — выяснить с этими пачками книг.

— А чего выяснять? — повернулся к нему Женька.

— Да мне почему-то кажется, — с загадочным видом произнес Олег, — что там совсем не «Стилист» Марининой. И вообще не книги.

— Это еще почему? — разом уставились на него остальные.

— Потому что разговор Василия Николаевича с продавцом больше напоминал какой-то пароль, — продолжал Олег. — А потом я прекрасно видел, какую пачку денег Василий Николаевич выложил за книги. Я думаю, эта сумма раз в десять превышала их цену.

— Раз в десять, раз в десять, — проворчал Темыч. — Мог бы и посчитать, если стоял совсем рядом.

— Как же я мог, если они сами их не считали, — внес ясность Олег.

— Не считали? — изумился хозяйственный Темыч.

— Именно! — изрек с торжествующим видом мальчик в очках. — И это очень странно.

— Вот уж действительно, — словно эхо, отозвалась Таня. — Я сама видела. Василий Николаевич протянул деньги, а продавец, не глядя, в карман засунул. А пачка и впрямь была толстая.

— Может, Василий Николаевич и книги оплатил, и какой-нибудь старый долг отдавал? — вмешался Пашков.

— Нет, — покачал головой Олег. — Они с этим продавцом явно не знакомы. Во всяком случае, по виду не скажешь, что они когда-то раньше встречались.

— Ну, положим, они могли сделать нарочно вид, будто не знакомы, — возразил Темыч. — Тут важнее другое, — добавил многозначительно он. — Когда долги отдают, то деньги тем более пересчитывают. И вообще, чтобы продавец не проверил, сколько ему заплатили...

— Молодец, — похвалил его Олег. — Вот потому-то мы в первую очередь и должны попытаться выяснить, что в этих пачках. Темыч, придется тебе к нему в квартиру проникнуть.

— Я один не справлюсь, — ответил Тема. — Тут нас должно быть по крайней мере двое. Входим вместе. Потом один отвлекает хозяина разговором. А другой незаметно находит, где у него лежат эти пачки, и проверяет, что там внутри.

— Давай я с тобой! — вызвался Женька.

— А если он вас зацапает? — забеспокоилась Катя.

— Ерунда, — отмахнулся Женька. — Скажу ему, что обожаю Маринину. Там же, на пачке, написано. Вот я и решил поглядеть, что это за детектив.

— Отлично, — одобрил Олег. — А заодно вообще поглядите, что у него в квартире творится.

— Ладно, — кивнули Женька и Темыч.

— Кстати, — вдруг заинтересовался Олег. — Кто-нибудь в вашем доме видел, как этот Василий Николаевич переезжал?

— Я вообще про него ничего не слышала, — отозвалась Таня. — Но, во-первых, я на другом этаже живу, а во-вторых, мы же с Катькой все каникулы проторчали у нее на даче.

— И мы с родителями на несколько дней уезжали, — напомнил Тема. — Видимо, он в наше отсутствие как раз со своей Сходни и перебрался.

— В общем-то при желании можно быстро переехать, — добавила Катя. — Тем более что квартира у него однокомнатная. Значит, и мебели немного.

— Вот и проверите, какая там обстановка, — повернулся Олег к Женьке и Теме. — Главное, старайтесь ничего не упустить из виду. Никогда не знаешь, что потом пригодится.

Оба мальчика вновь кивнули.

— И еще, — многозначительно произнес Олег. — Нам обязательно надо его сфотографировать.

— Ясненько, — фыркнула Катя. — Хочешь на память фотку оставить?

— Не в том дело, — отмахнулся Олег. — Представьте себе, вдруг он от нас в какой-то момент ускользнет.

— Или вообще исчезнет, — тихо сказала Таня.

— Такие это умеют, — поддержал ее Пашков.

— А чем нам его снимать прикажешь? — деловито осведомился Тема.

— Вообще-то у меня есть «Полароид», — ответил Олег. — Только кассета кончилась.

— Купим, — сказал Женька.

— А у тебя деньги остались? — внимательно поглядел на него Олег.

— Нет, — беззаботно улыбнулся Женька. — Я думал, у тебя есть.

Вскоре выяснилось, что вся компания находится до вечера в одинаково удручающем материальном положении.

— У меня есть фотоаппарат, — сказал Темыч, — но он тоже без пленки. А даже если бы и с пленкой, то потом придется платить за ее проявку.

— Ситуация, — вздохнул Олег. — Конечно, можно бы отложить это дело до завтра. Я сегодня попытаюсь у предка деньги на кассету для «Полароида» взять. Но это в том случае, если он вернется в хорошем настроении. Вы же его знаете...

Остальные понимающе кивнули.

— Придумал! — закричал вдруг Лешка. — У Машки Школьниковой видеокамера есть! «Сони»! Последняя модель! Облегченная! Класс!

Глаза у Пашкова заблестели. Все, что было связано со Школьниковой, вызывало в нем сильное воодушевление.

— Тогда придется ей все рассказать, — колебался Олег. — Хотя...

Он подумал, что Школьникова уже и так принимала участие в двух их последних расследованиях.

— Ладно, — продолжал он. — Пожалуй, другого выхода у нас все равно нет. А видеозапись, может быть, даже и лучше. Тем более, если удастся, и голос его на кассету запишем.

Олег поглядел на часы. Занятия уже давно кончились. Подойдя к телефону, мальчик набрал номер Школьниковой. Трубку взяла Моя Длина. Узнав Олега, она обрадовалась.

— Машка, ты видеокамеру нам сейчас не одолжишь? — перешел сразу к делу тот.

— Кому это «нам»? — с подозрением спросила Моя Длина.

— Ну, всем нам, — не стал скрывать Олег.

— Если с вами ребенок Пашков, то фигли, — немедленно заявила Школьникова. — Он уже отснимался.

— То есть? — не понял Олег.

— Его съемка моей матери в крупный ремонт вылилась, — не утаила Моя Длина. — Полстоимости камеры заплатили. Так что снимать я буду только сама. А чего снимать-то надо? — заинтересовалась она. — Кстати, — вдруг вспомнила Школьникова. — Почему вас сегодня не было в школе? Андрюша так нервничал.

— Знаешь, Машка, это не телефонный разговор, — отвечал ей Олег. — Лучше хватай камеру и беги ко мне.

— Неужели опять? — выдохнула Школьникова. — Что-нибудь рассле...

— Говорю же: не по телефону, — решительно перебил ее Олег. — Придешь, тогда узнаешь.

— Ясненько, мальчики-девочки! Вся в вашем распоряжении! Несусь!

И Моя Длина бросила трубку.

— Ну, ты, Пашков, даешь, — покачал головой Олег. — Говори, что с Машкиной камерой сотворил?

— Да, можно сказать, почти ничего, — покраснел Лешка. — Уронил случайно. Вообще-то Машка сама виновата. Я снимаю, а она у меня стала камеру из рук вырывать. Кто же так с техникой обращается.

Друзья усмехнулись. Лешка всегда был уверен в своей правоте.

Не прошло и десяти минут, как раздались сигналы домофона. Еще две минуты спустя раскрасневшаяся Моя Длина влетела в квартиру.

— Привет, мальчики-девочки!

— Машка! — застыл от восторга Пашков.

Моя Длина была, по обыкновению, одета ярко и вызывающе. Лиловые обтягивающие брючки и куртка в крупную зелено-оранжевую полоску.

— Ты немного поскромней одеться не могла? — спросил у нее Олег.

— Между прочим, все от «Версаче». Из его последней коллекции, — парировала выпад Школьникова. — Лучше рассказывайте, чего там у вас?

— У нас такое, что лучше с твоим «Версаче» не светиться, — продолжал Олег.

— Ладно. Не приставай, — опустилась в кресло Школьникова. — Лучше говори, в чем дело. В конце концов, если надо, схожу переоденусь. Хотя вообще-то, я не знаю случаев, чтобы «Версаче» не подошел.

Добрых пятнадцать минут Компания с Большой Спасской вводила Мою Длину в курс дела. Им сильно мешал Пашков, который вместо того, чтобы излагать факты, изо всех сил пытался привлечь внимание Машки. Наконец, она процедила сквозь зубы:

— Уймись, ребенок. Не до тебя.

Лешка затих в скорбном молчании.

— Вот почему нам этого типа необходимо заснять, — подвел итог Олег.

— Замогильно, — с восхищением протянула Моя Длина. — Ну, вы вечно, ребята, влипаете! Тут точно одно из двух: либо шпион, либо бандит. Будем снимать. И «Версаче» мой, между прочим, тут в кассу, — добавила она. — Я перед домом встану и сделаю вид, будто совсем не Василия

Николаевича, а кого-нибудь другого снимаю. Он даже и не чухнется.

— А давай, Машка, ты меня снимать будешь, — с надеждой посмотрел на нее Пашков.

— Могу и тебя, ребенок, мне-то какая разница кого, — равнодушно сказала Моя Длина.

Но Лешка все равно остался очень доволен.

— В общем так, — начал распоряжаться Олег. — Сейчас все идем к подъезду Василия Николаевича. Женька и Темка будут сидеть у Темыча в квартире и ждать возвращения соседа. А вернулся он или нет, мы проверим по домофону.

— А если вернулся? — решил уточнить Темыч.

— Тогда вы попытаетесь как можно скорей попасть к нему в квартиру, — уверенно заявил Олег. — Мы останемся на улице. Если он дома, подождем, пока он выйдет, и Машка сразу его начнет снимать. А если его дома нету, то, значит, рано или поздно вернется. В общем, Темыч и Женька в квартире, а остальные на улице.

— Ой! — вытащила из сумки сигареты и зажигалку Моя Длина. — Я так нервничаю! Не могу без сигареты, когда волнуюсь.

— Когда не волнуешься, по-моему, тоже, — усмехнулась Катя.

— Здоровье не бережешь, — назидательно заметил Темыч.

— Зашибись, лысенький, усохни, маленький! — кинула на него уничтожающий взгляд Моя Длина.

Коротко стриженные волосы на голове у Темыча поднялись дыбом. Еще миг, и он совершил бы что-нибудь непоправимое. Но Олег вовремя показал ему кулак. Сейчас Мою Длину лучше было не злить. Поэтому Олег даже позволил ей закурить в квартире, хотя не сомневался, что от родителей ему за это влетит. «Приду — проветрю», — подумал он. Правда, когда Пашков следом за Моей Длиной полез за сигаретой, Олег решительно воспротивился:

— Подождешь, пока выйдем на улицу.

— Значит, ей можно, а мне нельзя? — разобиделся Лешка.

— Во-первых, я — дама, — картинно закинула ногу на ногу Школьникова. — А потом, ты еще ребенок. И вообще, что мы сидим? — метким щелчком запулила она окурок в открытую форточку. — Побежали, мальчики-девочки.

Вульфа оставили дома, чем он остался очень недоволен. Ребята, спешно покинув квартиру, бегом устремились вниз по Большой Спасской.

— Главное, нам на Василия Николаевича где-нибудь по дороге не напороться, — то и дело с волнением повторял Темыч.

— Напоремся, тоже не беда, — не унывала Моя Длина. — Я не я, если его не сниму.

Они набрали на домофоне номер квартиры Василия Николаевича. Там никто не ответил.

— Значит, еще не вернулся, — обрадовался Олег. — Тогда вы поднимайтесь в квартиру, — повернулся он к Женьке и Темычу. — А мы, как условились, его тут поджидаем.

Двое мальчиков скрылись в подъезде. Отпирая дверь квартиры, Темыч случайно заметил возле половика клочок бумаги.

— Опять кто-то намусорил, — наклонился он за бумажкой.

На бумажке было типографским способом напечатано: «Литературно-художественное издание. А.Б. Маринина «Стилист». На русском языке. В упаковке...»

Дальше было оторвано.

— Видел? — сунул Женьке под нос бумажку Темыч. — Это наверняка было наклеено на пачках с книгами. Выходит, он их тут же после прихода развернул. И обертку в мусоропровод выкинул. А это, — снова потряс он в воздухе бумажкой, — вывалилось.

— Чего он так поторопился распаковывать книги? — пожал плечами долговязый мальчик.

— Вот и я думаю, — кивнул Темыч. — Зачем ему было так спешно распаковывать книги, если он тут же из дома убежал?

— Ну, может, кому-нибудь дарить понес? — предположил Женька.

— Да, да, — с большим сомнением произнес Темыч. — Во-первых, в кейс целая пачка не влезет. Значит, по идее, если он даже зачем-нибудь взял с собой несколько экземпляров «Стилиста», то обертку бы выкидывать не стал. Потому что в пачке бы еще оставалось много книг.

— А потом, — дошло вдруг до Женьки. — Зачем ему понадобилось кейс с книгами сдавать в камеру хранения?

— Там разберемся, зачем, — отпер дверь своей квартиры Тема.

Они вошли. Надежды Васильевны дома не оказалось. На зеркале в передней была приклеена скотчем большая записка: «Темик, кушай без меня. Мы с Верунчиком пошли к Ниночке. Там Джованни вернулся!»

— Ну, прямо не жизнь, а праздник каждый день, — проворчал Тема. — Теперь до ночи у своей Ниночки проторчит.

— А что ты имеешь против? — удивился Женька. — По крайней мере последим из твоей квартиры за Василием Николаевичем. И никто мешать не будет.

— Тут ты, пожалуй, прав, — улыбнулся Темыч. — Сейчас на балкон выйдем. Он у нас расположен прямо над подъездом.

— Только сперва надо попить, — побежал Женька на кухню. — Ого! — раскрыв сковороду, стоящую на плите, восхитился он. — Отличные отбивные тебе мать оставила! Можно одну?

— Ты еще не наелся? — спросил Темыч.

— Вообще-то, наверное, наелся, — неопределенно ответил Женька. — Но мне обязательно нужно заесть сладкое. Где у тебя хлеб?

— Пожалуй, я тоже холодную отбивную с хлебом съем, — решил Темыч.

Женька уже вытаскивал из хлебницы длинный батон.

— Свеженький! — радостно сообщил он.

Темыч хотел отрезать кусок хлеба, но Женька, схватив сковороду, потащил ее вместе с батоном на балкон.

— Ты куда? — полюбопытствовал Тема.

— Тебе только бы о еде думать! — укоряюще произнес Женька. — А нам надо делом заниматься. На балконе и поедим.

Темычу ничего не оставалось, как покориться.

Аппетитно уплетая отбивные, ребята даже не заметили, что на улице холодно. Когда же мальчики благополучно расправились с мини-обедом, то внезапно почувствовали, что замерзли.

— Давай-ка дежурить по очереди, — предложил Женька. — Чего вдвоем-то торчать на холоде.

— И кто первый останется? — внимательно посмотрел на него Темыч.

— Ты, — без тени сомнения откликнулся Женька. — А я пока пойду что-нибудь гляну по ящику.

— Однако, — не слишком обрадовался Темыч.

Но Женька уже пошел в комнату. Впрочем, и тому и другому еще пришлось изрядно померзнуть. Василий Николаевич явно домой не спешил. Время от времени дежурившие на балконе мальчики обменивались знаками с друзьями. Те, видимо, тоже успели порядком продрогнуть и, чтобы согреться, не переставая, расхаживали по улице. Пашков с Моей Длиной вдоль дома. А остальные — в начале Спасского тупика.

— И долго, интересно, еще ждать? — запрыгал на месте неуемный Женька.

— А ты его поторопи, — съязвил Темыч.

— Уже не придется, — с торжеством отвечал ему Женька. — Вот он, голубь наш сизокрылый.

«Голубь сизокрылый», свернув с Большой Спасской, уже шагал вдоль дома по Спасскому тупику. Моя Длина, предупрежденная, что цель близка, отошла от Пашкова и начала видеосъемку. При этом она делала вид, что снимает Пашкова на фоне дома.

— Ну, чего застыл? — скомандовала она Лешке. — Больше движений! Больше движений!

Лешка попятился и словно бы невзначай налетел на Василия Николаевича.

— Ну, молодец Моя Длина, — оценил ее маневры Женька.

— Кто бы мог подумать, — вынужден был согласиться Темыч с высокой оценкой Моей Длины.

Тут Пашков, повернувшись к Василию Николаевичу, громко воскликнул:

— Извините! Здравствуйте! А-а! Вы ведь Темин сосед.

Василий Николаевич растерянно поглядел на Пашкова. Затем кивком головы подтвердил, что тот не ошибся. Моя Длина, не переставая, снимала. Олег, следя за ней из-за киоска, шепнул Кате и Тане:

— Порядок. Считайте, что в кадр он попал.

Глава IX

БОРИС ОЛЕГОВИЧ КИПИТ ОТ ВОЗМУЩЕНИЯ

Но Моя Длина решила на достигнутом не останавливаться. Подойдя к Василию Николаевичу, Машка томно проговорила:

— Ой, извините, пожалуйста. У меня к вам просьба.

При этом Школьникова, словно бы по инерции, продолжала снимать.

— Какая просьба? — не слишком обрадовался Василий Николаевич.

— О, совсем небольшая, — тем же тоном продолжала Моя Длина. — Мы хотим вместе с Лешкой сняться. Возьмите, пожалуйста, камеру.

— Да я не очень с ними умею, — попытался отделаться Василий Николаевич.

— А тут и уметь нечего, — объяснила Школьникова. — Смотрите вот на этот экранчик, чтобы там появились мы с Лешкой, и не отпускайте кнопочку. Ну, пожалуйста! Всего одну минутку.

— Если одну минутку, то ладно, — сжалился Василий Николаевич.

— Вот это Машка! — все больше восхищала Олега находчивость Моей Длины. — Теперь мало того, что ей удалось записать его голос, так еще на камере отпечатки пальцев останутся.

— Каждый бы на ее месте сообразил, — ревниво ответила Таня.

Олег усмехнулся, но спорить не стал.

— Ладно, ребята, — донесся до них голос Василия Николаевича. — Забирайте камеру. Мне уже некогда.

— Спасибо! — хором поблагодарили его Моя Длина и Лешка.

Василий Николаевич быстро вошел в подъезд. Олег, Таня и Катя покинули укрытие и поравнялись с Моей Длиной и Лешкой.

— Отлично сработано, — похвалил Олег.

— Фирма веников не вяжет, — тут же растянулся рот до ушей у Пашкова.

— Можно подумать, это он один все делал, — возмутилась Моя Длина.

— Вместе делали, — гордо сказал Лешка.

— Вернее, я делала, а ты был при мне «шестеркой», — не собиралась уступать ему пальму первенства Школьникова.

— Да я ничего. Пожалуйста, — согласился и на это Лешка. Главное, Школьникова была рядом и даже его сняла на пленку. И тот случай, когда сломалась видеокамера, больше ему не припоминала.

— А вообще ты молодец сегодня, ребенок, — удостоила она похвалы Пашкова. — Вполне конкретно налетел на этого типа.

— Я еще и не то могу, Машка, — поглядел на нее влюбленными глазами Пашков.

Но Школьникова уже повернулась к Олегу:

— Чего будем дальше-то делать?

— Дуем ко мне, — распорядился мальчик в очках. — Поглядим, что получилось. А заодно на большую кассету перекатаем. Надо оставить копию.

Пока они разговаривали, Катя и Таня знаками показали дежурившим на балконе мальчикам, что сосед поднимается, а они будут ждать Тему и Женьку в квартире Олега. Мальчики спешно покинули балкон и подбежали к входной двери. С лестничной площадки донеслись шаги. Затем хлопнула дверь соседа.

— Даем ему пять минут на расслабуху, — тихим голосом обратился Темыч к Женьке. — Затем направляемся в гости.

— А что ты ему собираешься говорить? — растерянно спросил Женька.

— Скажем, что у нас в квартире вырубился телефон, и мне надо позвонить на станцию, чтобы исправили.

— Хороший план, — одобрил Женька. — А пока ты вроде будешь по телефону звонить, я попытаюсь его отвлечь.

— Естественно, — кивнул Тема. — И чем дольше ты его сможешь отвлекать, тем лучше. Мне же надо как следует осмотреть квартиру. Так, — поглядел он на часы. — Пошли.

Открыв дверь, они почему-то на цыпочках пробрались к квартире соседа. Женька нажал на звонок.

— Кто там? — почти тут же раздалось за дверью.

— Сосед, — пояснил Тема.

— Секундочку, — отозвались за дверью.

Она открылась. На пороге стоял Василий Николаевич. Очков на нем не было. В руках он держал полотенце.

— Тебе чего?

Женька хотел просочиться в переднюю, но Василий Николаевич встал так, что пройти было невозможно.

— Мне позвонить, — жалобно произнес Тема.

— Зачем? — не слишком любезно осведомился Василий Николаевич.

— Телефон у нас отрубился, — быстро проговорил Женька. — Надо на станцию позвонить, чтобы исправили.

— А то родители волноваться начнут, что я не беру трубку, — подхватил Темыч.

— Отрубился, говорите, телефон? — почему-то заговорщицки подмигнул ребятам Василий Николаевич. — Тогда плохо дело. Придется вам в автомат идти. У меня тоже не работает.

— Ну-ка! — вновь попытался войти в квартиру Женька. — Дайте я проверю.

— И проверять нечего, — по-прежнему закрывал собою дверной проем Василий Николаевич. — Говорю ведь: не работает. А теперь извините. Я умываюсь.

И он быстро захлопнул дверь. Но еще прежде, чем это случилось, оба мальчика заметили очень странную вещь: родинки возле уха у Василия Николаевича не было.

Они влетели в квартиру.

— Ты видел? — заперев замок на два оборота, уставился Темыч на Женьку. — Родинки нет.

— Видел, — энергично кивнул головой тот. — Только не понимаю, куда она делась. Верней, понимаю, но не понимаю, зачем...

— Чего ты там понимаешь и не понимаешь? — перебил Темыч. — Нету родинки. Значит, она была просто наклеена.

— Это-то ясно! — носился по квартире Женька. Темычу, чтобы поддерживать разговор, поневоле приходилось бегать следом за долговязым другом.

— Чего же тогда неясно? — спросил Тема.

Женька, достигнув кухни, побежал в обратном направлении. Когда Женька нервничал, его невозможно было удержать на месте.

— Неясно, зачем ему эта дурацкая родинка возле уха, если она ненастоящая?

— Если прилепляет, значит, зачем-то нужна, — уверенно сказал Темыч. — Бежим к Олегу.

Он уже отпирал дверь, когда Женька вдруг спохватился:

— Погоди!

— Нечего нам годить, — сурово глянул на него исподлобья Тема. — Тебя вообще не поймешь. То всюду торопишься, а когда надо...

Но Женька уже исчез в комнате Надежды Васильевны.

— Ты смотри там ничего не разбей! — крикнул вдогонку Темыч.

Но тот уже вышел обратно. В руках он держал радиотелефон.

— Какой у твоего соседа номер? — подпрыгивая от нетерпения на месте, спросил Женька.

Темыч на минуту задумался и уверенно назвал номер. Миг — и Женька, набрав нужную комбинацию цифр, прислушивался к длинным гудкам.

Затем трубку подняли.

— Алло? — прозвучал очень четко голос Василия Николаевича. — Алло! Алло! Ничего не слышно! Перезвоните!

Трубку повесили.

— Работает у него телефон, — повернулся Женька к Темычу.

— Выходит, он нас не хотел пускать в квартиру, — отозвался тот.

— Теперь бежим к Олегу! — вновь открыл дверь Женька.

Спустившись на лифте вниз, они понеслись к дому Олега проходными дворами. Так было ближе. Вот и Портняжный. Наконец, Олег отворил им дверь.

— Ну, как? — осведомился он прямо с порога.

— Никак! — выпалил Женька.

— Вернее, как, но совсем не то, — внес существенную, по его мнению, поправку Тема.

— Вы в своем уме? — постучал себе пальцем по лбу Олег.

— В своем! — одновременно ворвались в гостиную Тема и Женька. — А вот родинки нету.

— Слушай, Олег, они, кажется, и впрямь чокнулись, — с тревогою посмотрела на вновь прибывших Катя.

— Сама бы увидела, тоже чокнулась бы, — буркнул в ответ Тема.

— А что вы увидели? — поинтересовалась Моя Длина.

— Говорю же, родинки нету! — повторил Женька.

— Так, — жестом остановил его Олег. — Давайте-ка по порядку. Вы в квартиру к нему попали?

— Нет, — немедленно внес ясность Тема.

— Мы говорим: «У нас телефон не работает!» — заорал Женька. — Он говорит: «И у меня телефон не работает!» Я хочу войти, он поперек дороги стоит. Не пускает. Потом я звоню. У него работает.

Олег за долгие годы общения с Женькой уже знал, как тот выражает мысли, когда волнуется. Поэтому умудрился немедленно вычленить из потока слов нужную информацию.

— Выходит, Темкин сосед наврал, что у него телефон не работает, — задумчиво произнес мальчик в очках.

— Что же он скрывает у себя в квартире? — внимательно посмотрела на друзей Таня. — Если он даже соседа на пять минут не впустил.

— Тем более, — добавил Темыч, — что он уже с моей матерью подружился. И чай у нас целый час пил.

— Это-то и странно, — сказал Олег. — Обычно нормальные люди по таким мелким поводам с соседями зря отношений не обостряют.

— А почем вы знаете, — многозначительно проговорила Моя Длина. — Может, у него там кто-нибудь был. Например, возлюбленная, которая вообще-то чужая жена. И поэтому он, как человек благородный, не захотел, чтобы вы увидели ее у него в квартире.

Катя и Таня выразительно переглянулись. Женька со свойственной ему прямотой выпалил:

— Ну, ты, Школьникова, начиталась всякой любовной лабуды!

— Много ты понимаешь, — презрительно сощурилась Моя Длина.

— Может, и не понимаю, — взмахнул сразу двумя руками Женька. — Нас, значит, по-твоему, он не пустил из-за возлюбленной. А родинку что, он тоже из-за нее снял?

— А вдруг у Василия Николаевича две возлюбленных? — захихикала Катя. — Одной родинка возле уха нравится, а другой нет. Поэтому он ее то снимает, то надевает.

Остальные усмехнулись. Затем Олег поглядел на троих петербургских паломников:

— А теперь постарайтесь вспомнить наверняка, была у того Василия Николаевича, который с вами ехал в электричке, родинка возле уха?

Мальчики задумались.

— По-моему, все-таки была, — чуть помолчав, произнес Женька. — Но вообще уже столько времени прошло... Нет, — покачал он головой. — Точно уже сказать не могу.

Пашков и Тема тоже на все сто процентов теперь утверждать не могли.

— А в общем-то это не так уж и важно, — вдруг блеснули за стеклами очков глаза у Олега. — Меня гораздо больше интересует другое: у Василия Николаевича, которого мы сегодня снимали, была родинка, когда он подходил к дому?

— Сейчас посмотрим, — включила Моя Длина видеомагнитофон. — Она прокрутила пленку немного вперед. Затем нажала на стоп-кадр. — Есть родинка! — издала она торжествующий возглас. — Хорошо, что я догадалась снять его со всех сторон.

Родинка возле уха и впрямь была великолепно видна.

— Молодец, Машка! — в который раз за сегодняшний день похвалил ее Олег.

Затем в гостиной повисла тишина. Друзья пытались найти ответ на один и тот же вопрос: что все это может значить.

— Я так, ребята, считаю, — первым нарушил молчание Пашков. — Ничего хорошего за этим не кроется.

— Очень интересная мысль, — с издевкой отозвалась Катя. — Главное, нам теперь все абсолютно ясно.

— Ладно. Буду думать дальше, — ничуть не смутился Лешка.

— Тут, кажется, одно из двух, — медленно начал Олег. — Либо Василий Николаевич эту родинку, по каким-то пока нам не ясным причинам, то снимает, то надевает, либо...

— Либо их двое, — подхватила тихим голосом Таня.

— Я думаю, трое, — вмешалась Катя.

— Откуда третий? — не понял Женька.

— Третий тот, который ехал с вами в электричке, — пояснила черноволосая девочка.

— И все трое Василии Николаевичи? — с изрядной долей иронии проговорил Олег.

— А вдруг они братья-тройняшки, — продолжала развивать свою версию Катя. — А паспорт, по какой-то причине, у них остался один на всех. Вот они им и пользуются по очереди. Вернее, у того Василия Николаевича, который уже умер, вообще никаких документов не было.

Катя умолкла. Остальные возражать ей не торопились. Версия, при всей фантастичности, была не лишена логики. Во всяком случае, каждый из семерых подумал, что в жизни еще и не то случается.

— Так, — снова заговорил Олег. — Если Катька права, то в квартире, которая рядом с Темычем, должны жить два Василия Николаевича. Вернее, два брата-близнеца с одним паспортом.

— Тогда ясно, почему нас не пустили, — сказал Тема.

— И с родинкой тоже все объясняется, — добавил Женька. — Тот, у которого она есть, сидел в комнате. А тот, у которого ее нет, нам с Темычем дверь открыл и не захотел в квартиру пустить.

Все снова умолкли. Теперь Катина версия показалась друзьям вполне убедительной. Затем Темыч мрачно произнес:

— Не нравится мне эта история. Один из этих Василиев Николаевичей к нам в Питере привязался. Другой к матери втерся в доверие.

— А тот, что в электричке, расспрашивал, где мы живем, — вспомнилось Женьке.

— И с книгами этими что-то странное, — сказал Олег.

— А разговор возле кинотеатра? А камера хранения? — напомнил Пашков еще два эпизода из жизни загадочных Василиев Николаевичей. — Говорю же вам: это семья близнецов-шпионов.

— Только вот вопрос, сколько их? Двое или трое? — решила уточнить Катя.

— В Клин надо ехать! — завел старую песню Женька. — Потому что, если тот наш дядя Вася умер, значит, их двое. А если он жив, то, выходит, трое.

— Думаю, Женька прав, — на сей раз согласился Олег. — Теперь нам без клинской милиции не обойтись. Конечно, зря вы там назвались чужими именами.

— Мы тогда думали, что так лучше, — объяснил Женька. — Кто же мог знать, что этих Василиев Николаевичей столько окажется, да еще в нашем доме. В общем, поехали в Клин! — вскочил Женька на ноги. — Чего зря время водить? По-моему, Василии Николаевичи вот-вот что-нибудь натворят.

— Вообще-то у меня тоже такое чувство, будто они к чему-то готовятся, — поддержала долговязого мальчика Таня.

— Готовятся или не готовятся, но прежде, чем куда-нибудь ехать, надо все-таки попасть к ним на квартиру, — возразил Олег. — Без этого мы ничего не поймем.

— Как же туда попасть, если нас не пускают? — развел руками Женька.

— Спокуха, — сказал Пашков. — Забыли, с кем дело имеете? — ткнул он себя пальцем в грудь. — План уже готов.

Остальные завороженно смотрели на Лешку.

— Значит, так, — с важным видом продолжал он. — Сперва следим за подъездом. Дожидаемся, когда Василий Николаевич в очередной раз заходит домой.

— Какой из Василиев Николаевичей? — полюбопытствовал Тема. — С родинкой или без родинки?

— Неважно какой, — продолжал Пашков. — Паспорт-то у них один. Значит, выходят из дома по очереди. То есть если кто-то из Василиев Николаевичей зайдет с улицы в дом, то в квартире их окажется сразу двое.

— Ну! — не выдержал Женька. — Если двое, то тем хуже для нас. Точно не пустят.

— А я что, предлагаю вам у них разрешения спрашивать? — самодовольно ухмыльнулся Лешка. — Они у меня сами на лестницу вылетят.

— Интересно, каким это образом? — с недоверием осведомился Олег.

— Элементарно, Ватсон! — воскликнул Пашков. — Устраиваем небольшой пожарчик.

— Ясненько, — произнесла нараспев Катя. — Лешенька устраивает небольшой пожарчик. Но в результате немножечко ошибается. И приходится спешно эвакуировать весь наш микрорайон.

— Никаких ошибок не будет, — уверенно заявил Лешка. — Мы с братаном Сашком недавно изобрели совершенно особую дымовую шашку. Горит она совсем чуть-чуть, зато дыму, как от самого настоящего пожара.

— Я не согласен, — тут же запротестовал Темыч.

— Это еще почему? — удивился Пашков.

— Потому что я тоже на этой лестничной площадке живу, — популярно объяснил Темыч.

— Ты, Темка, не совсем прав, — неожиданно вступился Олег за Пашкова.

— Да он просто в корне не прав! — оживился Лешка.

— Нет, — решил уточнить свою позицию Олег. — Даже фальшивый пожар — это слишком. Но если бы придумать что-то подобное, но немного попроще.

— Проще пожара ничего не бывает, — развел руками Пашков.

— Может, им «Скорую помощь» вызвать? — предложил Женька.

— Тогда уж лучше сразу милицию, — фыркнула Катя.

— Нет, это все ерунда, — покачал головой Олег. — Самый идеальный для нас вариант — выманить всех Василиев Николаевичей на улицу.

— Ну и как ты собираешься это сделать? — спросили остальные.

— Не знаю, — честно признался Олег.

Вдруг Женьку осенило:

— Ребята, а над Василиями Николаевичами кто живет?

— Тебе-то какая разница? — не доходило до Темы.

— Ну, если там свои люди, — объяснил Женька, — то можно было бы с их балкона по веревке спуститься к Василиям Николаевичам.

— Я спускаться не буду, — спешно заявил Тема.

— Никто не будет, — решительно воспротивился Женькиному плану Олег.

— Тогда можно видеокамеру на веревке спустить, и на нее заснимем, что делается в квартире, — сказал Женька.

— Вот ты сперва купи свою камеру, — совсем не понравилась такая идея Моей Длине. — Тогда хоть три раза в день ее спускай куда хочешь на веревочке.

— И вообще, у нас беспредметный спор, — вмешалась Таня. — Я знаю эту квартиру. Если Женька к ним сунется, они его безо всякой веревочки спустят с балкона.

— Так, — посмотрел на часы Олег. — Хотите или не хотите, но придется дальнейшее отложить на завтра. Скоро мои предки вернутся.

Друзья срочно принялись натягивать куртки. Борис Олегович настоятельно требовал, чтобы к его возвращению с работы, «всякие Олежкины сборища в доме прекращались». Компания с Большой Спасской старалась без крайней нужды этого правила не нарушать.

— Вот что, Темыч, — сказал Олег, когда друзья уже вызвали лифт. — Если вечером представится хоть малейшая возможность нанести визит соседу, например, вместе с мамой или еще там как-нибудь...

— Естественно, не упущу шанса, — не дослушав, заверил Тема.

Двери лифта открылись. Друзья зашли внутрь.

— А вообще погодите, — спохватился Олег. — Мы тоже с Вульфом выйдем.

Вернувшись в квартиру, он быстро оделся и позвал пса. Вскоре они уже всей компанией спускались вниз. Быстро миновав двор, они вышли на Большую Спасскую.

— А я вот все-таки думаю, — начала Таня. — Вдруг это не Василии Николаевичи, а один Василий Николаевич?

— И родинка у него приклеенная, — подхватила Катя.

— И зачем он ее приклеивает? — посмотрел на нее Олег.

— Чтобы быть похожим на того Василия Николаевича, — объяснила Катя. — Который из электрички.

— Зачем? — не унимался Олег.

— А вдруг он по его документам живет? — широко раскрыла глаза Таня. — Ну, да! Да! — повторила она. — Помните, Лешка ведь нам говорил: у этого Василия Николаевича вроде все такое же, как у того, только нос другой.

— Вроде и впрямь другой, — кивнул Пашков. — Хотя сейчас я уже так на этого Василия Николаевича нагляделся, что и не вспомню, каким был тот.

Олег тяжело вздохнул.

— Знаете что, мы так сегодня еще можем долго гадать. Думаю, выход один. Если мы и завтра не сможем проникнуть в эту квартиру, то в субботу поедем в Клин. А дома скажем, будто нас Арсений с директором в поход ведут. Только на этот раз в однодневный.

Остальные с ним согласились, что это единственный выход. Только Темыч боялся, что после прошлого «похода» мать его не отпустит. В таком случае, Темыч должен был остаться в городе и на всякий случай присматривать за квартирой Василия Николаевича.

Погуляв еще с полчасика по округе, ребята разошлись по домам. Моя Длина разрешила Пашкову проводить ее до подъезда, чему тот очень обрадовался. Остальные двинулись вниз по Спасской. А Олег с Вульфом поспешили в Портняжный. Сегодня он не хотел опаздывать к ужину. Отца нельзя было раздражать. Тем более, если они послезавтра собираются беспрепятственно уехать в Клин.

С мыслями о предстоящей поездке Олег открыл ключом дверь собственной квартиры. Отец тут же вышел в переднюю. Выражение его лица ничего хорошего не предвещало.

— Явился — не запылился, — покачал головой Беляев-старший.

— Ну, да. Вот с Вульфом гулял, — ответил сын. «Что случилось? — лихорадочно пытался сообразить он. — Неужели Андрей позвонил, что мы в школе не были? Мы же всем скопом сегодня прогуливали. Вдруг Андрей просек, что мы влезли в новое расследование? Тогда сейчас начнется».

— Ага. Значит, с Вульфом. Значит, гулял, — совсем не ласково произнес отец. — И дома с кем-то гулял! — резко повысил голос Беляев-старший.

— Ребята зашли, — начал уже успокаиваться Олег. — Чаю попили. Чего такого.

Борис Олегович кинулся в комнату и секунду спустя сунул Олегу под нос блюдце с окурками Моей Длины.

— Ребята были! — бушевал Борис Олегович. — И окурки у твоих ребят в помаде!

— Это Моя Длина, — ответил Олег.

— Какая еще длина? — взревел предок.

— Да Машка Школьникова, — совсем успокоился сын. — Она даже дома курит. «Значит, Андрей не звонил», — отметил Олег про себя.

— Вот пускай дома и курит! — топнул ногой Борис Олегович.

— Да я хотел вынести окурки и проветрить, но не успел, — внес полную ясность Олег.

— Он не успел! — покраснел от возмущения Борис Олегович. — Отец бросил курить и бережет здоровье, чтобы вырастить своего оболтуса! И вот благодарность! Сын приводит неизвестно кого домой!

— Боренька! — вылетела из кухни Нина Ивановна. — Пожалуйста, не волнуйся! Маша Школьникова очень хорошая девочка.

— Хорошая? — с надрывом произнес Беляев-старший. — С каких это пор хорошие девочки курят, как паровозы?

— Ты тоже в ее возрасте уже курил, — напомнила мама Олега, которая с будущим мужем училась в одном классе.

— Но я не девочка, — логично возразил муж. — И ты, Нина, в девятом классе губы не красила.

— Это не самое страшное, — ответила Нина Ивановна. — Главное, наш Олежка не курит.

Аргумент на Бориса Олеговича подействовал. Однако его по-прежнему дразнил запах табачного дыма, из-за которого очень хотелось закурить.

— Ладно, Олег, — сказал отец. — Чтобы эта твоя Длина, или как ее там, больше здесь никогда не дымила.

— Идите ужинать! — крикнула Нина Ивановна.

— Это мы с удовольствием, — потер руки Борис Олегович.

Но не успел он усесться за стол, как раздался звонок телефона.

— Никакой жизни! — схватил трубку Беляев-старший. — Да. Это именно квартира Беляевых!

Да. Олег Беляев — мой сын... Откуда-откуда?.. Клинское отделение милиции?

Олег вздрогнул. Похоже, случилось именно то, чего он больше всего опасался.

— Что-о? — тем временем продолжал удивляться отец. — Свидетель? Чего свидетель?.. Какой пассажир скончался?.. Я не смеюсь. Наоборот, очень сочувствую, но при чем тут мой сын?

У Олега все внутри сжалось. Он напряженно прислушивался к ответам отца. Судя по репликам последнего, случайный попутчик Женьки, Темыча и Пашкова все-таки по-настоящему умер.

— Нет, — продолжал отец. — Ничего не знаю. Это для меня новость... Да нет. Говорю же вам: сын ничего подобного мне не рассказывал. А когда это произошло?.. Ясно. Надо приехать? Нет, нет, повестки не надо. За кого вы нас принимаете? Сами приедем... В субботу? Хорошо. Записываю.

Борис Олегович схватил карандаш и блокнот, лежавшие на холодильнике, и, периодически награждая сына яростными взглядами, принялся что-то записывать.

— Хорошо, — наконец, произнес он в трубку. — К двум часам будем.

Разговор закончился. Лицо Бориса Олеговича застыло в какой-то странной гримасе. Таким отца Олег еще никогда не видел. Отец раскрыл рот. Сын ожидал жуткого крика. Однако у Беляева-старшего сперва из горла вырвалось тихое клокотание. Затем он прошептал:

— Та-ак.

— Боренька! — тут же взмолилась Нина Ивановна. — Выпей свои капельки.

— Замолчи! Наседка! — наконец, прорвало Бориса Олеговича.

Мама Олега побледнела. За долгие годы счастливой супружеской жизни муж ни разу ее не назвал наседкой. Губы у Нины Ивановны задрожали. На глаза навернулись слезы.

— Вот! Полюбуйся, — драматически простер руку к жене глава семейства Беляевых. — До чего мать довел!

«Я этому паразиту Темычу завтра морду набью», — скрипнув зубами, подумал Олег.

— Папа, — произнес он вслух. — А что случилось? Кто звонил?

Борис Олегович сперва разразился громким и сардоническим хохотом, точь-в-точь как Мефистофель из оперы Гуно «Фауст». Затем громко сказал:

— Ну, да! Он не знает! Он ничего не знает!

И отбросив ногой в сторону табуретку, достойный отец семейства тяжелой поступью Командора удалился в гостиную.

— Олег, что ты натворил? — прошептала Нина Ивановна. — Только, пожалуйста, ничего от меня не скрывай.

— Лично я ничего не творил, — глядя в глаза матери, вполне честно признался Олег.

— Зачем ты мне врешь? — скорбно взглянула на него мать. — Посмотри, в каком состоянии твой отец! Ты что, до могилы его довести хочешь?

— Не хочу, — с ходу отверг такое предположение Олег.

Тут в кухню вернулся Борис Олегович. В руке у него дымилась сигарета.

— Боренька! Зачем? — всплеснула руками Нина Ивановна. — Ты же бросил!

— Ничего, — выпустив подряд несколько густых клубов дыма, отвечал муж. — С таким сыном и закурю, и запью, и наркотики начну принимать.

— Да расскажи же ты, наконец, что случилось! — взмолилась жена.

— Я бы хотел, чтобы мой сын сам признался, — кинул в раковину одну сигарету и тут же закурил другую Борис Олегович.

— Папа! — воскликнул Олег. — Мне признаваться не в чем!

— Ну, — кинул на него отец взгляд, исполненный уничтожающего сарказма, — тогда придется мне рассказать.

И он бесстрастным голосом сообщил следующее: звонил какой-то милиционер из Клина. Слышно было очень плохо. Однако Борису Олеговичу удалось понять, что его дорогой сынок, каким-то образом попав в Клин, умудрился стать свидетелем внезапной смерти некоего мужчины. Олег знал покойного. А вот милиция до сих пор не может установить личность этого мужчины. Поэтому теперь придется тратить субботу на поездку в Клин, где с Олега будут снимать дополнительные показания.

— Но, папа, я никогда в жизни не был в Клину, — вновь вполне искренне возразил Олег.

— А я один раз там был в Доме-музее Чайковского! — взревел отец. — Но больше туда ехать не желаю! А тем более в милицию! Ну-ка, рассказывай честно, что там произошло?

— Папа, когда произошло? — ответил вопросом на вопрос мальчик.

— Сам будто не знаешь! Три недели назад. В воскресенье.

— Боренька! Но в воскресенье Олежка же ведь был дома, — вспомнила Нина Ивановна. — Мы еще на дачу к друзьям уехали, а он остался.

— Это ты думаешь, что он остался! — воскликнул Борис Олегович. — А он выпроводил нас на дачу. А потом помчался в свой Клин! Мало им в Москве приключений! Так они решили и Клин охватить! С покойниками там познакомиться!

— Нет, Боренька, — вновь возразила жена. — Я с Олежкой по телефону разговаривала. Мы как до дачи доехали, я ему сразу и позвонила.

— Он мог и после разговора с тобой в Клин смотаться, — настаивал на своем отец.

Спор продолжался еще долго. Отец хотел докопаться до истины. Олег все отрицал. А мать умоляла его признаться. Наконец, докурив вторую пачку сигарет, Борис Олегович отправил сына спать. Олегу было велено завтра после школы тут же вернуться домой и никуда не уходить до прихода родителей.

— А с Вульфом хоть погулять можно? — полюбопытствовал сын.

— Нельзя! — рявкнул Борис Олегович и захлопнул дверь комнаты сына.

«Воображаю, что творится у Ахметова и Савушкина, если этот милиционер им тоже позвонил», — разбирая постель, подумал Олег.

Глава X

ВСТРЕЧА С МАЙОРОМ ВАСИЛЕНКО

Когда наутро Компания с Большой Спасской вошла в родной класс, там уже бушевали страсти. Марат Ахметов, потрясая в воздухе огромным кулаком, кричал:

— Только бы мне найти этого гада! Убью на месте!

Пашков, уже зная, в чем дело, ибо на подходе к школе стал свидетелем нелицеприятного разговора Олега с Темычем, невольно втянул голову в плечи. Ему было ясно: если Марат просечет, кто назвался его именем в клинской милиции, то, в отличие от Олега, задушевной беседой не ограничится.

Тут подоспевший в класс Савушкин подлил масла в огонь. Выяснилось, что ему тоже звонили. Правда, в отличие от Олега и Марата, проблем с родителями у Бори не возникло. То роковое воскресенье он провел вместе с ними. Однако терять субботу на клинскую милицию ему совершенно не улыбалось. Как раз в субботу он должен был участвовать в городских отборочных соревнованиях по боксу. Но так как они теперь для него пролетали, Борька клятвенно обещал отправить в нокаут того, кто его столь подло подставил. Услыхав это, Женька, который вообще-то никогда ничего не боялся, почувствовал себя неуютно.

— С предками ладно. Разберемся, — подвел итог происшествию Марат Ахметов. — А вот с ментами будет сложнее. Вызовут сперва как свидетелей. А потом на тебя же это дело и повесят. Потом доказывай, что ты не верблюд. И вообще, зачем какие-то гады нашими именами назвались? Значит, у них рыльце в пушку. Предок мой уже адвоката нанял на всякий случай. Говорит: поедем в Клин вместе с ним.

Пашкову захотелось домой. Женька старался смотреть куда угодно, но только не на Савушкина. К счастью, раздался звонок. В класс вошла географичка. Все спешно расселись по партам.

На перемене Компанию с Большой Спасской пригласил к себе в класс Андрей Станиславович. Вид у него был встревоженный.

— Только не говорите, пожалуйста, что вы вчера все коллективно заболели, — быстро произнес он. — Опять во что-нибудь влезли?

— Андрей Станиславович, давайте отложим до большой перемены, — ответил Олег. — У нас к вам очень серьезный разговор.

Андрей Станиславович встревожился еще сильнее. Теперь он уже почти не сомневался, что пятеро друзей вовсю раскручивают какое-то новое дело.

— Может, Василенко пока позвать? — любезно предложил он.

— Да, Андрей Станиславович, — согласился Олег. — Пожалуй, так будет лучше.

— Тогда я с Вовкой постараюсь договориться, чтобы он к большой перемене подъехал, — пообещал Андрей Станиславович. — Только вот что, — очень строго посмотрел он на ребят. — Даже если вас до большой перемены осенит какая-нибудь потрясающая идея, из школы ни ногой!

— Хорошо, Андрей Станиславович, — хором отозвалась Компания с Большой Спасской, а с ними и Пашков.

Андрей Станиславович, мысленно сетуя, что у всех ученики как ученики, а у него уже второй год не класс, а какое-то детективное агентство, побежал в учительскую. Ребята, проводив его взглядами, накинулись на Олега:

— Какого черта ты проболтался?

— Я не проболтался. Просто пора, — невозмутимо ответил тот. — Во-первых, уже заварилась жуткая каша. И, между прочим, не по моей вине, — кинул он выразительный взгляд на троих петербургских паломников.

Те смущенно опустили глаза.

— А во-вторых, я вчера полночи не спал. Все над этой историей думал. И мне теперь почти все ясно.

— А в квартиру? — выкрикнул Женька. — Хочу в квартиру к нему попасть!

— Думаю, нам нет никакого смысла туда соваться. Иначе можем последовать за первым Василием Николаевичем.

— Ты думаешь, это он его... — и, не договорив, Таня испуганно прижала ладонь ко рту.

— Он или не он, пока сказать трудно, — ответил Олег, но что два этих дела связаны, для меня теперь очевидно.

— Хватит темнить! — запрыгал Женька вокруг Олега. — Какие два дела? Говори прямо!

Однако ответить Олег не успел. Начался следующий урок.

Едва наступила большая перемена, Компания с Большой Спасской отправилась в класс Андрея Станиславовича. Тот их уже поджидал вместе с широкоплечим и коренастым майором Василенко.

— Ну, чего там? — пробасил майор. — Снова криминал нарыли?

— Да вроде нарыли.

— Во, елки, — улыбнулся майор. — И как ты, Андрей, их терпишь? — посмотрел он на фронтового друга.

— Глаза б мои их не видали, — усмехнулся в усы Андрей Станиславович.

— Выкладывайте, — потребовал майор.

Первым делом Лешка Пашков, Женька и Темыч, взяв с Андрея Станиславовича клятвенное обещание, что он никогда не расскажет об этом в классе, признались, как ездили болеть за «Динамо» и что из этого вышло.

— Да-а, — только и протянул в ответ Андрей Станиславович.

Далее Темыч поведал о новой встрече с «ожившим» Василием Николаевичем, который, с одной стороны, ребят вроде не узнавал, а с другой, как бы намеками давал понять, что вообще-то они знакомы, но он по каким-то причинам не хочет до поры до времени этого афишировать. Самое сильное впечатление на майора Василенко произвел рассказ о посещении Василием Николаевичем книжной ярмарки в «Олимпийском». Олег точно воспроизвел реплики, которыми обменялись Василий Николаевич и продавец. Майор тут же спросил:

— Продавца узнаешь?

Олег и девочки подтвердили, что узнают. Затем Олег продолжил расссказ. Услыхав о камере хранения на Казанском вокзале, майор осведомился:

— Номер ячейки запомнили?

— Нет, — покачали головами трое преследователей. — Мы боялись к нему подходить слишком близко. — Но отсек показать можем.

— Молодцы, — похвалил майор.

Когда Олег, наконец, умолк, в запертую дверь класса настойчиво постучали.

— Кто там? — громко спросил Андрей Станиславович.

— Это я. Маша Школьникова, — раздался голос за дверью.

— Она принесла кассету, — объяснил Пашков. — С этим самым Василием Николаевичем.

— Мы его засняли со всех сторон и с голосом! — добавил Женька.

Моей Длине открыли. Она вручила кассету в руки любимому учителю.

— Молодец, — похвалил Андрей Станиславович.

Моя Длина просияла.

— Так, ребята, — распорядился майор Василенко. — Об этой истории никому ни слова. Будете вести себя так, будто ничего не произошло. С Теминым соседом держитесь как ни в чем не бывало. И чур, больше не предпринимать никаких самостоятельных действий. Это очень опасно.

— Владимир Иванович, — обратился к майору Олег. — А что с Клином делать? Меня, Ахметова и Савушкина туда в субботу вызывают.

— Никуда никому ехать не надо, — решительно возразил майор. — Клин я беру на себя. Сегодня же вашим родителям позвонят и скажут, что произошла ошибка.

Пашков, Женька и Темыч облегченно вздохнули.

— Ну, бегите на уроки, — сказал ребятам Андрей Станиславович.

— Если понадобитесь, я вас вызову, — добавил майор Василенко.

Ребята поспешили на химию...

Вечером в квартире у Олега разыгралась впечатляющая сцена. Не успели Беляевы-старшие вернуться с работы, как раздался звонок из клинской милиции. Борис Олегович мрачно выслушал собеседника. Затем вяло произнес: «Спасибо» — и повесил трубку.

— Что там такое, папа? — уже догадывался о содержании разговора Олег.

— Боренька, ты только больше не кричи, пожалуйста, — произнесла скороговоркой Нина Ивановна.

— Я, между прочим, человек справедливый, — с укором уставился на нее муж. — И кричу всегда только на тех, на кого следует.

Он вытащил из кармана сигареты и закурил.

— Ну вот. Говорила же, что начнешь, — скорбно произнесла Нина Ивановна.

— Все претензии по этому поводу прошу направлять в клинскую милицию, — ответил Борис Олегович.

«И Темычу», — мысленно добавил Олег.

— А что еще случилось? — спросила Нина Ивановна.

— Случилось наше русское национальное головотяпство, — принялся объяснять Беляев-старший. — Вчера они назвали Олежку свидетелем чьей-то там смерти. А сегодня заявляют, что произошла ошибка, и они моего сына знать не знают.

— Ужас какой! — всплеснула руками Нина Ивановна.

Борис Олегович помолчал. Вид у него был подавленный.

— Вот что, сын, — наконец, с трудом выдавил он из себя. — Ты уж меня извини.

— Ладно, папа, — Олег испытывал не меньшее смущение, чем отец.

— Что было, то прошло, да? — с надеждою посмотрел на него Борис Олегович.

— Я же тебе говорила, Боренька, что Олежка тут ни при чем, — вмешалась жена.

— Вот так всегда, — начал закипать Борис Олегович. — Выходит, я во всем виноват? Не милиционер из Клина, а я! Между прочим, если бы не эти их бесконечные расследования, то я бы никогда такой паники не поднял. Мне-то ведь сразу самое худшее померещилось...

— Папа, как ты мог! — воскликнул Олег.

Борис Олегович лишь рукой махнул и отправился курить на балкон.

В течение ближайших двух дней ребят то и дело вызывал майор Василенко. Олег, Женька и Лешка показали, в каком отсеке камеры хранения должен находиться атташе-кейс Василия Николаевича. В одном из ящиков кейс действительно был обнаружен. Затем Олег, Таня и Катя опознали на ярмарке в «Олимпийском» торговца книгами.

Дальше следствие словно застопорилось. Во всяком случае, так казалось Компании с Большой Спасской. Майор Василенко их больше не вызывал. А Василий Николаевич спокойно себе продолжал жить в собственной квартире. И даже нанес еще пару светских визитов Теминой маме, которая с большим удовольствием поила его чаем.

Об аресте таинственного соседа ребята тоже, как это ни странно, впервые услышали от Надежды Васильевны. Она была понятой при обыске его квартиры. Самого же Василия Николаевича взяли где-то вне дома. По словам Надежды Васильевны, в квартире, за исключением телефонного аппарата и спального мешка, не было никакой обстановки.

— А ведь казался таким интеллигентным мужчиной! — возмущалась Темина мама. — Кому же теперь прикажете верить?

Эту фразу она повторяла по очереди всем своим закадычным подругам. Под конец дня дозвонившись Верунчику, которая где-то отсутствовала, мама Темыча заявила:

— Помнишь, я хотела тебя познакомить с интересным мужчиной? Так вот, арестовали. За что — не знаю. Но, говорят, оказался крупным преступником. Представляешь, кошмар! Жил дверь в дверь с нами. Я теперь вообще всего боюсь.

Ребятам, конечно, хотелось узнать, в чем же дело. И они чуть ли не ежедневно умоляли Андрея Станиславовича намекнуть хоть в общих чертах. Однако тот и сам ничего толком не знал.

Наконец, несколько недель спустя, Андрей Станиславович позвал всю компанию к себе в однокомнатную квартиру у Красных Ворот. От него они услышали такую историю. Подлинный Василий Николаевич был обычным честным человеком. Вероятно, он и по сей день продолжал бы спокойно жить у себя на Сходне, если бы не оказался частью преступного замысла. Бандитам требовались документы какого-нибудь одинокого человека, которого в скором времени никто не хватится. Кроме того, внешность случайного попутчика ребят почти полностью совпадала с обликом преступника, для которого эти документы и добывались. За Василием Николаевичем долго следили и, наконец, выбрав подходящий момент, сделали ему укол, который и вызвал инфаркт.

Далее уже мнимый Василий Николаевич, продав сходненскую квартиру, перебрался на Большую Спасскую, где заранее была куплена квартира. Там он должен был жить, пока готовился к убийству одного из крупнейших и влиятельных российских бизнесменов. Благодаря Компании с Большой Спасской мнимого Василия Николаевича удалось выследить и взять с поличным.

— Кстати, на книжной ярмарке он и впрямь покупал совсем не детективы Марининой, — усмехнулся Андрей Станиславович. — В пачках было все необходимое для организации взрыва. Распаковав дома покупку, ваш большой друг отнес ее содержимое в камеру хранения. Сейчас проверяется причастность этого человека к еще нескольким громким убийствам. Так что, если бы не вы, ребята...

Андрей Станиславович умолк. Затем не преминул добавить, чтобы в следующий раз друзья вели себя осторожнее. А еще лучше, по его мнению, вообще обойтись без следующего раза. Хотя он, Андрей Станиславович, в столь светлом для себя будущем сильно сомневается.

— С такими вещами не шутят, — убеждал Компанию с Большой Спасской учитель. — Пойми этот мнимый Василий Николаевич, что вы его в чем-то подозреваете, и, думаю, мы бы сейчас с вами тут не беседовали. Но, слава богу, вам на этот раз повезло.

Пробыв у Андрея Станиславовича часа полтора, в течение которых они еще несколько раз возвращались к ходу расследования, ребята, наконец, пошли домой.

— Мне только настоящего дядю Васю жалко, — уже на улице сказал Женька.

— Хороший был мужик, — подхватил Пашков. — Но ничего: теперь этому гаду будет.

Какое-то время они шагали молча. Затем Темыч многозначительно произнес:

— Между прочим, если бы мне тогда не подбили глаз, то крупному российскому бизнесмену уже была бы крышка.

— А ведь верно, — согласился Олег. — Вы бы остались вместе с остальными фанатами «Динамо». Не познакомились бы в Петропавловской крепости с дядей Васей. И...

Он не договорил. Но остальным и так все было ясно.

Оглавление

Литературно-художественное издание

Для среднего школьного возраста

ДЕТЕКТИВ & ПРИКЛЮЧЕНИЯ

Иванов Антон Давидович
Устинова Анна Вячеславовна

ЗАГАДКА СЛУЧАЙНОГО ПОПУТЧИКА

Ответственный редактор *Т. Суворова*
Художественный редактор *С. Киселева*
Технический редактор *О. Лёвкин*
Компьютерная верстка *Г. Клочкова*
Корректор *Е. Холявченко*

ООО «Издательство «Эксмо»
127299, Москва, ул. Клары Цеткин, д. 18/5. Тел. 411-68-86, 956-39-21.
Home page: **www.eksmo.ru** E-mail: **info@eksmo.ru**

Өндіруші: «ЭКСМО» АҚБ Баспасы, 127299, Мәскеу, Клара Цеткин көшесі, 18/5 үй.
Тел. 8 (495) 411-68-86, 8 (495) 956-39-21.
Home page: www.eksmo.ru . E-mail: info@eksmo.ru.
Қазақстан Республикасындағы Өкілдігі: «РДЦ-Алматы» ЖШС, Алматы қаласы,
Домбровский көшесі, 3«а», Б литері, 1 кеңсе. Тел.: 8(727) 2 51 59 89,90,91,92,
факс: 8 (727) 251 58 12 ішкі 107; E-mail: RDC-Almaty@eksmo.kz
Қазақстан Республикасының аумағында өнімдер бойынша шағымды Қазақстан
Республикасындағы Өкілдігі қабылдайды: «РДЦ-Алматы» ЖШС,
Алматы қаласы, Домбровский көшесі, 3«а», Б литері, 1 кеңсе.
Өнімдердің жарамдылық мерзімі шектелмеген.

Сведения о подтверждении соответствия издания согласно законодательству РФ о техническом регулировании можно получить по адресу:
http://eksmo.ru/certification/

Подписано в печать 01.04.2013.
Формат 84×108 $^1/_{32}$. Гарнитура «Букман».
Печать офсетная. Усл. печ. л. 11,76.
Тираж 3000 экз. Заказ № 6653.

Отпечатано в филиале «Тульская типография»
ОАО «Издательство «Высшая школа».
300600, г. Тула, пр. Ленина, 109.

ISBN 978-5-699-63671-6

Серия «ЧЁРНЫЙ КОТЁНОК»
Новое улётное оформление!
Новые таинственные преступления!
Новые гениальные разоблачения!
ШОУ ОДИНОКОГО СКЕЛЕТА
ДЕТЕКТИВНОЕ АГЕНТСТВО «БЕЛЫЙ ГУСЬ»
ХОЗЯИН ЗЛОВЕЩЕГО ЦИРКА
Е. Усачева
НОЧЬ ОТКРЫТЫХ ДВЕРЕЙ
ДЕТСКИЙ ДЕТЕКТИВ
www.eksmo.ru
2011-730